Comme il est
doux d'entrer dans la
peau d'un personnage de roman,
de plonger dans une histoire qui n'est
pas la sienne et de pouvoir se dire :
"Et pourquoi une telle aventure ne
m'arriverait-elle pas à moi aussi ? "

Car il n'y a pas d'âge pour aimer,
pas de frontière réelle entre le
rêve et la réalité.

Chaque mois,
Collection Harlequin vous
le prouve.

Une île pour un petit garçon

Alison Fraser

HARLEQUIN

Cet ouvrage a été publié en langue anglaise sous le titre :

COMING HOME

Originally published by
Harlequin Books, Toronto, Canada

53, avenue Victor-Hugo, Paris XVIe - Tél. 500.65.00
ISBN 2-280-00290-6
ISSN 0182-3531

1

— Puis-je faire quelque chose pour vous ? répéta l'homme derrière le comptoir, en anglais cette fois. Son mépris à peine dissimulé devant ses vêtements fatigués par le voyage suggérait que non. Alex sentit un vent de panique : s'était-elle trompée d'hôtel ? Elle préférait ne pas y penser !

— On m'a réservé une chambre.

— Votre nom, s'il vous plaît, demanda le réceptionniste en ouvrant son registre.

— Saunders Alex, indiqua-t-elle sèchement. Voulez-vous que j'épelle ?

Mais l'homme parcourait déjà la liste des réservations.

— Nous n'avons rien à ce nom, déclara-t-il d'un air satisfait.

Alex eut envie de lancer au visage du Grec qu'elle ne resterait pas dans cet hôtel même s'il l'en suppliait à genoux, mais une petite main tira sur son pantalon.

— Lex ! implora le petit garçon.

Il dormait debout ! La jeune femme repoussa les mèches brunes qui lui barraient le front.

— Tout va bien, Nicky, murmura-t-elle, ne t'inquiète pas.

Elle le serra plus étroitement contre sa jambe avant

de se tourner vers le réceptionniste avec une détermination renouvelée.

— Pourriez-vous vérifier encore s'il vous plaît ?

L'homme daigna jeter un rapide coup d'œil à son livre puis il secoua la tête.

— Vous vous trompez d'hôtel, madame !

Et il était ravi ! songea Alex avec irritation. Ouvrant son sac, elle sortit un papier froissé qu'elle posa devant lui.

— Existe-t-il un autre *Hôtel Appolonia* à Athènes ?

Comme il hochait la tête, elle ajouta vivement :

— Rue Charalambidès ?

— Non, dut-il concéder.

C'était donc bien l'hôtel indiqué par Théo. A quel jeu jouait-il ?

— Peut-être a-t-on réservé sous un autre nom ? suggéra-t-elle.

— Lequel ? marmonna l'employé.

Alex respira profondément.

— Kontos.

Elle s'attendait à une discrète, mais impérieuse injonction de sortir... à tout, sauf à cette stupéfaction aussitôt suivie d'une expression alarmée.

— Pardonnez-moi, madame Saunderson... bredouilla l'homme.

— Saunders, coupa-t-elle, étonnée par cette soudaine humilité.

— Je n'avais pas...

Mais il s'interrompit et posa le registre devant elle.

— Si vous voulez bien signer, madame Saunders.

Bonne joueuse, Alex lui offrit un sourire. Comme elle penchait la tête pour écrire son nom, elle ne vit pas le signe discret qu'il adressa au portier, ni l'homme qui apparut sur le seuil à l'autre bout du foyer.

— Voulez-vous conduire vos hôtes à votre bureau, monsieur Kontos ? interrogea le portier.

— Non, répondit celui-ci, le front barré d'un pli soucieux. Elle n'est pas du tout ce que j'imaginais. Merci, Stavros.

Ayant congédié son employé, il regarda encore la jeune femme s'accroupir pour remonter les chaussettes de l'enfant. Elle ne correspondait pas à la brève description qui lui était parvenue de Londres : pas de chevelure blond platine, mais une cascade de mèches dorées qui bouillonnait sur ses épaules ; et elle était plus jeune... Pourtant, malgré son manque d'élégance et ses prédispositions contre elle, sa beauté et sa fraîcheur le frappaient. Il est vrai que Théo avait un faible pour les jolies femmes !

Il étouffa un juron : il avait oublié de regarder le petit garçon ! Le seul document en sa possession était une photo, assez bonne pour être troublante mais pas vraiment concluante.

Regagnant son bureau, il ouvrit un tiroir, prit la photo et l'étudia longuement : les preuves étaient bien minces, mais il savait que son instinct ne le tromperait pas. Cette attente l'irritait. Si la jeune femme n'avait pas exclusivement retenu son attention, tous ses doutes seraient maintenant effacés. Qu'elle aille au diable !

Au même instant, celle qu'il envoyait au diable s'immobilisait sur le seuil d'une chambre située au onzième étage. Le luxe du lieu n'expliquait pas seul son hésitation : il formait avec d'autres endroits un contraste presque insoutenable. Les yeux fixés sur l'immense baie d'où le soleil pénétrait à flots, elle pensait au dernier appartement qui les avait abrités : une pièce sombre, en sous-sol, à la peinture écaillée par l'humidité, meublée de bric et de broc. Un mélange de détresse et de colère lui montait à la gorge, menaçant de se transformer en un cri, mais elle le ravala.

L'enfant, lui aussi décontenancé par ce changement soudain, jetait autour de lui des regards de bête traquée.

— Qu'en penses-tu, Nicky ? interrogea-t-elle en attirant sa tête contre elle. Cela aurait pu être pire !

— Les chaises sont blanches, déclara-t-il, comme fasciné.

— Presque, acquiesça-t-elle en souriant.

— On reste vraiment ici, Lex ?

Il avait besoin d'être rassuré.

— Eh bien... nous y sommes, en tout cas, répondit-elle d'un ton faussement joyeux.

Elle se demandait avec angoisse au bout de combien de temps quelqu'un viendrait répondre à la question de Nicky. Enfin, si c'était une mauvaise plaisanterie, il lui faudrait faire la vaisselle pendant six mois pour payer la chambre, alors autant y dormir !

— Il est l'heure de ta sieste ! déclara-t-elle, surprenant Nicky qui réprimait un bâillement.

— Oh, non, Lex !

— Oh, si, Lex ! Allez, au lit !

L'enfant allait céder lorsqu'il lui adressa un grand sourire.

— Il n'y en a pas !

Dieu du Ciel ! Une suite... !

Prenant Nicky par la main, une valise dans l'autre, Alex ouvrit la deuxième porte et pénétra dans une chambre à coucher aussi luxueuse que le salon. Avec un rire frisant l'hystérie, elle augmenta d'un an son temps de travaux forcés.

Après avoir aidé Nicky à se déshabiller, elle plia et rangea ses vêtements. Ensuite, elle remonta les draps frais en soupirant : comme cet enfant était maigre, maladif... et ses joues creuses... Il pleurait !

— Qu'y a-t-il, Nicky ?

L'enfant se frotta les yeux dans l'espoir de cacher ses larmes. Qui l'avait rendu aussi stoïque ?

— Il n'est pas venu, murmura-t-il en ravalant un sanglot.

Chris, pourquoi lui avoir dit ? Pourquoi lui avoir donné ce fol espoir pour ensuite disparaître et nous abandonner... ?

— Pourquoi, Lex ?

— Tu te souviens de toutes ces voitures en revenant de l'aéroport ? Il a dû se trouver bloqué par les encombrements. Il est peut-être passé sans nous voir.

Il y avait des dizaines d'explications ; il se pouvait même qu'il ait changé d'avis après avoir effectué les réservations et les ait oubliés, comme il l'avait fait pendant ces trois dernières années. Mais elle n'était plus la seule à douter.

— Et s'il ne vient pas ?

— Nous rentrerons à Londres et...

— Pas là-bas, pas là-bas ! coupa-t-il avec véhémence.

La frayeur de l'enfant affectait tout autant Alex que lui.

— Jamais plus, Nicky.

— Promets !

— Croix de bois, croix de fer...

Mais elle s'arrêta juste avant d'achever : « si je meurs, j'irai en enfer ». Nicky parut ne pas s'en apercevoir et lui donna un baiser fougueux comme pour sceller leur marché. Sa souffrance avait été aussi intense que brève.

— Dors, maintenant. Nous irons nous promener, tout à l'heure.

Une fois l'enfant assoupi, Alex s'étendit sur le lit jumeau, l'oreille tendue vers son souffle régulier, écrasée par la promesse qu'elle venait de lui donner. Impossible de revenir en arrière, surtout avec un enfant. Et elle ne voulait pas revenir en arrière : Nicky lui appartenait maintenant, à moins que Théo ne le lui réclame... Mais si elle ne pouvait pas la tenir ? Si elle devait une fois de plus se résigner à ce qu'on le lui arrache ?

… Ils n'avaient montré aucune cruauté : ne comprenait-elle pas qu'ils voulaient le bien de l'enfant ? Elle était si jeune ! Ils ne leur reprochaient pas, à sa sœur et à elle, d'avoir trompé le propriétaire, mais celui-ci était en droit de refuser le renouvellement du bail, au cas où on n'obéirait pas à la clause interdisant la présence d'un enfant. Peut-être, plus tard, pourrait-on reconsidérer la situation ?

Peut-être ? Il n'y avait guère d'espoir dans le regard de ces gens : même en obtenant son diplôme, elle trouverait difficilement du travail, et même sans enfant, un appartement au loyer modéré était une perle rare.

Pour la débarrasser de ses craintes, ils lui avaient fait visiter l'orphelinat. L'endroit était joli ; un paradis pour enfants battus ou rejetés, mais l'enfer pour un garçon calme habitué à être entouré, comme Nicky. Comme elle, douze ans auparavant. Ces immenses pièces bruyantes lui étaient trop familières…

Mais elle, elle avait Chris, sa sœur aînée. Celle-ci avait transfiguré ce foyer, devenu une sorte de purgatoire où elles dormaient, mangeaient et se rappelaient l'époque heureuse d'avant l'accident qui avait coûté la vie à leurs parents, en attendant que leurs rêves, inlassablement renouvelés, se réalisent.

Nicky, lui, n'aurait personne. Alors, elle avait supplié. On lui avait accordé quelques jours, qui étaient passés trop vite, emportant avec eux tous ses espoirs. Et ils avaient fini par le prendre.

A cette époque, Alex avait oublié la lettre que Chris avait écrite avant d'entrer à l'hôpital, alors qu'elle croyait encore en son beau mari grec.

Ils s'étaient rencontrés au cours d'un stage de formation aux métiers de l'hôtellerie : coup de foudre, mariage-éclair suivi dans l'année de la naissance de Nicky. Mais ce bonheur ne dura pas : trois ans auparavant, Théo était parti en Grèce, comme tous les ans, pour voir ses parents ; il n'était pas revenu. Les lettres de Chris étaient restées sans réponse. Après l'angoisse et les larmes, les deux sœurs avaient partagé le même espoir qu'un jour, il reviendrait, et que tout recommencerait comme avant. Au bout d'un an, Chris avait cessé d'y croire.

Elles avaient déménagé dans un appartement plus modeste, le premier d'une longue série. Pour qu'Alex puisse poursuivre ses études supérieures, Chris avait accepté un poste d'hôtesse et travaillait la nuit afin que l'une d'entre elles puisse toujours rester auprès de Nicky. Leur vie s'organisait bien, même si Chris était parfois victime d'étourdissements. Mais l'année universitaire toucherait bientôt à sa fin et Alex pourrait s'occuper de l'enfant pendant que sa sœur aînée se reposerait. Hélas, le temps les avait gagnées de vitesse. Ce qu'on avait pris pour une anémie passagère s'était révélé une grave maladie du sang. Chris s'était accrochée à la vie, puis avait lentement glissé dans l'inconscience.

Sa mort avait laissé à Alex peu d'espoir de recevoir un jour une réponse au dernier appel désespéré de sa sœur.

Aujourd'hui, ramenée au moment présent par les mouvements agités de Nicky dans le lit voisin, elle s'étonnait encore. Pourquoi, après tout ce temps, avait-il enfin donné signe de vie ? Trop nerveuse pour dormir, elle se leva et se glissa sur le balcon. Appuyée à la balustrade, elle regarda la rue avec ses boutiques élégantes qui rappelaient Knightsbridge, en essayant de mettre un peu d'ordre dans son esprit. Glacée et polie, la lettre de Théo, évoquait une image bien différente du garçon rieur qu'elle avait connu, et cet hôtel luxueux devait largement dépasser ses moyens... Un cri étouffé la fit sursauter. Elle rentra, trouva Nicky éveillé, les yeux agrandis par la peur.

— Je suis là, murmura-t-elle.

Emergeant du sommeil, l'enfant ne savait plus très bien où il se trouvait.

— Je me croyais seul, marmonna-t-il d'une voix pâteuse.

Il se redressa, brusquement plus tendu.

— Il est venu ?

— Pas encore, répondit-elle d'un ton apaisant. Si tu m'emmenais en promenade ?

— Où ?

— Il y a un jardin tout près d'ici, on le voit de la fenêtre.

Avant qu'ils aient pu franchir les portes, le réceptionniste les arrêta. Informé de leur intention de visiter le parc, il voulut attirer l'attention d'Alex sur la taille de la ville et son labyrinthe de rues. Née et élevée à Londres, celle-ci fit peu de cas de ses mises en garde ; sourde à ses protestations, elle se dirigea vers la sortie.

Tout au long du trajet, elle prit soin de noter le nom des rues ou des boutiques qui pouvaient lui servir de points de repère et trouva le parc sans aucune difficulté.

Nicky s'élança en avant, s'arrêta devant une fontaine bordée de fausses statues antiques. Il contempla les corps nus avec curiosité puis s'enfonça dans l'ombre du parc en empruntant des sentiers bordés d'arbustes fleuris. Fascinée par la paix et la beauté qui régnaient, Alex ne remarqua leur isolement qu'en apercevant un groupe de jeunes gens dans une éclaircie. Nicky les vit le premier.

— Drôles de garçons, Lex !

D'ordinaire, l'épithète qu'il réservait aux punks la faisait rire. Certes, le petit groupe paraissait moins dangereux que son modèle britannique, mais un silence tendu tomba à leur approche. Avait-elle commis une erreur en hésitant puis en revenant sur ses pas au lieu de continuer son chemin ? Quoi qu'il en soit, à peine avait-elle fait demi-tour qu'Alex se sentit suivie. Elle pressa le pas, aussitôt imitée par les ombres menaçantes qui élevèrent la voix pour attirer son attention. Consciente de commettre une erreur, elle s'empara pourtant de la main de l'enfant et se mit à courir. Des bruits de pas — les siens ? les leurs ? —, syncopaient les battements de son cœur. « Mon Dieu ! Pas devant Nicky ! »

Ce fut sa dernière prière avant de le lâcher pour ne pas l'entraîner dans sa chute. Fut-ce son cri de terreur qui déchira l'air à l'instant où une paire de bras solides se refermait autour d'elle ? Rejetant la tête en arrière, elle vit deux yeux froids si sombres qu'ils paraissaient noirs. Elle étouffa un autre cri : personne ne pouvait être plus étranger à ces « drôles de garçons » et pourtant, elle fut d'abord terrifiée par son sauveur.

Une fois le premier choc passé, elle aurait dû le remercier, mais les mots ne parvenaient pas à franchir ses lèvres. Elle contempla le visage immobile, aux traits taillés à coups de serpe, au long nez droit et à la bouche arrogante. Soudain, consciente que l'homme la tenait dans ses bras, Alex se libéra. Haletante, gênée par le regard qui ne voulait pas se détacher d'elle, la jeune femme jeta un rapide coup d'œil en arrière : ses assaillants avaient disparu.

Quand elle se retourna, l'homme la soumettait toujours à son examen glacé, presque plus inquiétant que la menace représentée tout à l'heure par le petit groupe. Toute sa gratitude fondit. L'homme détourna alors la tête ; perdant leur froideur, ses yeux se fixèrent sur le petit garçon qui respirait bruyamment et qui, la main crispée sur le pantalon d'Alex, lui rendait son regard avec plus de fasination que de terreur. L'homme lui dit quelques mots en grec. Alex fut incapable de comprendre sa phrase, prononcée d'une voix trop basse et gutturale. Naturellement, l'enfant continua à le regarder, bouche close.

— Nous sommes anglais, expliqua la jeune femme.

L'inconnu fronça les sourcils : Nicky avait les cheveux noirs et un teint méditerranéen.

— Vraiment ?

— Oui, tous les deux, risqua-t-elle, craignant un désaveu innocent du petit garçon. Nicky va t'asseoir sur le banc une minute.

— Mais...

— Tout de suite ! commanda-t-elle en le poussant dans la bonne direction, avant d'affronter son interlocuteur avec une nervosité grandissante.

— Je ne vous ferai aucun mal, déclara-t-il dans un anglais impeccable.

Mais Alex n'était pas rassurée. Au contraire, une émotion proche de l'irritation lui nouait l'estomac.

— Je n'ai jamais cru le contraire, rétorqua-t-elle sèchement.

Les mâchoires de l'homme se contractèrent.

— Vous paraissez bien calme pour une femme qui vient d'échapper à une agression.

— Vous vous trompez !

— Vous n'êtes pas calme ?

— Je n'ai pas échappé à un vol, corrigea-t-elle.

L'homme la soumit à nouveau au long examen de ses yeux froids.

— En effet, dit-il en dirigeant son regard vers un bouquet d'arbustes, ils avaient d'autres projets pour vous.

Le ton nonchalant et délibérément suggestif fit flamber sa colère.

— Je suis parfaitement capable de me débrouiller toute seule !

Il cherchait à l'intimider avec ses airs supérieurs !

— Dans ce pays, les femmes connaissent leurs limites. Vous feriez bien de suivre leur exemple.

— Je ne doute pas que ces limites soient encore

restreintes par les Grecs qui s'accrochent à la morale de l'Age de pierre !

La fureur battait maintenant sur les tempes de l'homme. Elle voulut se rétracter, mais il ne lui en laissa pas le temps.

— Peut-être vous ai-je privée d'une aventure ? Au fond, ces garçons se contentaient sans doute de vous suivre là où vous les conduisiez.

Mue par une force indépendante, la main d'Alex s'abattit de plein fouet sur sa joue. Surprise par sa propre violence, elle vit naître dans les yeux de l'inconnu une flamme dangereuse. Allait-il lui rendre son coup ? Au même instant, Nicky s'interposa entre eux.

— Laissez Lex tranquille ! cria-t-il.

Alors, sous le regard étonné de la jeune femme, l'expression de l'inconnu changea brusquement. Il sourit.

— Pour toi, jeune homme, oui, acquiesça-t-il.

Mais en direction d'Alex il gronda d'une voix rauque :

— Un jour, je vous ferai regretter cela !

Sur ces mots, il s'éloigna. Un long frisson parcourut Alex, terrifiée par l'intensité contenue dans la menace.

— Il ressemble aux statues, sauf qu'il est habillé, dit alors Nicky. Tu ne trouves pas, Lex ?

— Oui, oui...

Pourtant, en dépit de son costume de prix et de son anglais poli et civilisé, il lui avait paru presque... barbare !

— Il était en colère quand tu l'as frappé !

— Rentrons !

Sa sécheresse mit un terme aux commentaires de Nicky, et Alex décida d'oublier l'incident aussi vite que possible. Elle se hâta de quitter le parc, heureuse que l'enfant fût le seul témoin de sa déroute.

Elle s'était trompée : avant de franchir les grilles, l'homme était revenu sur ses pas. Posté à une distance respectueuse, il avait attendu que la femme et l'enfant soient sortis du jardin. Pourtant, il était à mille lieues de se prendre pour un ange gardien.

Jamais, au cours de sa vie, il n'avait eu envie de frapper une femme. Avec celle-là, il s'en était fallu de peu. Il regrettait maintenant de n'avoir pas cédé à son impulsion.

Non, décidément, elle ne correspondait pas à l'image de blonde idiote qu'il s'était façonnée, elle était pire avec ses yeux bleus insolents et ses lèvres boudeuses ! Elle avait osé le gifler, soutenir son regard... !

Mais l'enfant ! Oui, l'enfant était bien tout ce qu'il espérait. Un peu trop pâle et maigre, mais si pareil à Théopolis au même âge qu'il l'avait reconnu sur le champ. Elle n'avait rien deviné. Tant mieux, il n'aimait pas trahir ses émotions. La prochaine fois, il aurait sa vengeance.

Il le lui ferait regretter ? Vraiment ? Tandis que Nicky s'attaquait au dîner qu'elle lui avait commandé, Alex tenta d'estimer leurs chances de se rencontrer à nouveau. Une sur un million ? Davantage ?

Une part d'elle-même aurait aimé rejouer la scène, sans perdre la tête. Elle avait horreur des éclats et elle ne pouvait se pardonner sa remarque idiote sur les Grecs. C'était un préjugé absurde, preuve d'une étroitesse d'esprit impardonnable...

D'ailleurs, Théo était le seul Grec qu'elle ait jamais connu. Et, au cours des deux années où elle avait vécu avec sa sœur et lui, il s'était toujours montré affectueux, gai ; son amour pour Chris frisait l'idolâtrie. Sa soudaine défection leur avait paru d'autant plus incompréhensible. Alex se demandait parfois si sa sœur ne lui avait pas caché certaines choses... Quoi qu'il en soit, dans quelques heures, elle aurait percé le mystère.

Théo avait laissé un message à la réception lui demandant de la retrouver au bar à huit heures. Le lieu du rendez-vous ne l'enthousiasmait guère, mais il valait mieux qu'il ne monte pas. Si Nicky devait s'éveiller, reconnaître son père pour se trouver ensuite rejeté, ce serait trop cruel.

La jeune femme appela pour faire débarrasser le plateau et installa Nicky avec des livres de jeux. Elle avait besoin de réfléchir...

Tout avait commencé quand elle avait voulu lui parler, prudemment, de l'orphelinat qui n'était plus une menace, mais une réalité inéluctable.

— Ecoute, Nicky, commença-t-elle avant de le coucher. Tu vas rester quelque temps dans une nouvelle maison...

— Oui, je sais. Maman me l'a dit.

— Maman te l'a dit ? répéta Alex stupéfaite.

Comme il hochait vigoureusement la tête, elle dut conclure que ce que maman avait dit était fort éloigné de ce qu'elle essayait de lui annoncer.

— Quoi, Nick ?

— Mais... Que nous devons partir !

Une vague de nausée envahit la jeune femme.

— Où ?

— En Grèce ! Voir papa !

Dieu ! Comment avait-elle pu ? gémit-elle en silence. Elle chercha les mots justes.

— Nicky, quand tu t'endors, t'arrive-t-il d'imaginer que tu es quelqu'un d'autre ? Disons... un cow-boy ?

— Un astronaute, corrigea-t-il.

— Bon. Maman aussi imaginait qu'elle vivait en Grèce parce qu'il y fait toujours beau et qu'il n'y a pas autant de bruit qu'à Londres, mais c'était comme toi, quand tu as envie d'être un astronaute.

Les yeux noirs de l'enfant plongèrent au fond des siens.

— Ce n'était qu'un rêve, conclut-elle tristement.

Pour toute réponse, Nicky descendit de sa chaise et la poussa jusqu'à la bibliothèque. Grimpant dessus, il saisit un gros volume.

C'était un vieil atlas, abîmé par l'humidité, mais il trouva tout de suite la bonne page.

— La voilà !

Son petit doigt cachait un point minuscule dans la Méditerranée, une île parmi des dizaines d'autres.

— Si c'était un rêve, elle ne serait pas sur la carte !

Alex regretta aussitôt d'avoir commencé cette conversation. Elle tergiversa.

— Je crois qu'il est temps d'aller te coucher, Nicky.

Mais l'enfant n'abandonnait pas facilement.

— Quand partons-nous, Lex ?

— Pas maintenant, Nicky.

— Quand ?

Un jour... Jamais... Il faudrait pourtant bien le lui dire.

— Nous verrons, s'entendit-elle répondre, rejoignant ainsi les rangs des adultes qui n'avaient cessé de lui mentir, pour gagner du temps, quand ses parents étaient morts.

Le lendemain matin, elle lui avait parlé. Du mieux qu'elle avait pu, c'est-à-dire très mal. Elle l'avait quitté à la porte du foyer, le laissant avec la Surveillante, et son regard de reproche lui avait labouré le cœur.

Deux jours plus tard, la lettre était arrivée. Il lui avait fallu la lire plusieurs fois avant d'en comprendre le sens.

« Ai reçu la lettre de Chris. Je veux oublier le passé et revoir mon fils. Pouvez-vous l'amener en Grèce ? J'ai effectué un virement à votre nom à la Banque d'Athènes de Londres, à titre d'avance sur vos frais. Télégraphiez la date de votre arrivée à l'*Hôtel Appolonia,* Charalambidès Street, Athènes. Je vous y réserverai une chambre. Théo. »

Mais Alex ne s'était pas précipitée à la banque, car la lettre dactylographiée lui laissait une impression de malaise. Qu'aurait-elle fait si Nick n'avait pas précipité les choses ?

Le soir-même, en ouvrant la porte à Miss Turner, elle comprit tout de suite.

— Il s'est enfui ?

— On ne l'a pas vu depuis sa sortie de l'école, lui expliqua l'assistante sociale. Nous espérions qu'il serait rentré chez vous.

— Je prends mon manteau...

Les larmes ruisselaient sur les joues d'Alex : elle avait agi de la même façon au début...

— Avez-vous essayé le parc près de la maison ?

— Non, nous sommes venus ici d'abord. Croyez-vous que...

— Il faut bien commencer quelque part, dit la jeune femme qui refusait même de s'avouer que ce jardin avait été autrefois un de ses refuges.

Elles allèrent donc devant le petit plan d'eau, donnant son signalement aux autres enfants qui ne leur répondaient que par des réponses négatives ou confuses. Elles n'eurent pas plus de succès près des balançoires... Lorsque enfin elles eurent exploré le moindre mètre carré, Miss Turner s'effondra sur un banc, haletante.

— Je suis vraiment désolée, marmonna Alex.

— Ce n'est rien, souffla l'autre femme. Où vous cachiez-vous encore ?

Alex lui lança un regard hostile.

— Que voulez-vous dire ?

— Nous avons fait une enquête. Mais j'avais déjà deviné.

— Cela risque-t-il de créer des difficultés ?

— Je serai franche... oui, avoua Pamela Turner à regret. Vous êtes sa tante, mais un environnement familial instable ou déficient n'est guère favorable à une adoption.

Alex réfléchit longuement.

— Et si je lui trouve un père ?

Miss Turner écarquilla les yeux.

— J'ignorais que... vous étiez fiancée.

— Ce n'est pas cela.

Alex sortit la lettre de sa poche et la lui tendit. L'assistante sociale marqua sa surprise : elle n'était pas la seule pour qui le père de Nicky représentait une cause perdue.

— Pensez-vous que cela puisse changer quelque chose ?

— Je ne sais pas... probablement. Si nous en reparlions un peu plus tard ?

C'est ce que firent les deux femmes après avoir retrouvé Nicky à la bibliothèque municipale, tapi dans un coin de la section pour enfants.

Alex s'assit doucement à côté de lui.

— Tu veux me parler ?

Il répondit avec une de ses violentes marques de tendresse, la tête enfouie dans son épaule.

— Lex... elle a... disparu... sanglota-t-il.

Alex posa les yeux sur la page ouverte d'un atlas : l'ouvrage était trop simplifié pour indiquer toutes les îles de la Méditerranée. Alors, comprenant sa détresse, elle l'étreignit avec fougue pour qu'il ne voie pas ses larmes.

Mais elles n'avaient pas échappé à Pamela Turner. Et peut-être... peut-être, l'avaient-elles émue. Cinq jours plus tard, ils étaient autorisés à partir pour la Grèce.

2

La babysitter arriva quinze minutes avant l'heure du rendez-vous. Déjà prête, Alex portait sa seule toilette féminine : un ensemble pantalon, resserré aux chevilles, dont la couleur rouille rehaussait sa blondeur. Une fois en bas, un coup d'œil en direction du bar lui révéla que Théo n'était pas encore là, et elle suivit un serveur jusqu'à une table écartée.

Après avoir commandé un verre de vin blanc, elle prit une cigarette. Comme elle cherchait du feu, la flamme d'un briquet surgit à quelques centimètres de son visage. Elle leva la tête, sûre de voir Théo. L'homme était jeune, brun, indiscutablement grec, mais la ressemblance s'arrêtait là.

La jeune femme alluma sa cigarette, remercia d'un sourire, mais quand il demanda l'autorisation de s'asseoir, elle secoua la tête. Nullement décontenancé, il lança une remarque soulignant qu'ils étaient seuls l'un et l'autre et Alex la traduisit librement par : « la nuit nous appartient. »

Partagée entre le rire et l'irritation, elle cherchait une formule pour éloigner l'importun, lorsque quelqu'un le fit à sa place. Alex n'eut pas besoin de tourner la tête pour reconnaître la voix rauque qui s'adressait ensuite à elle en anglais.

— Vous ne perdez pas votre temps !
— Comment !
L'autre homme s'était déjà éclipsé.
— Oubliez ce que je viens de dire.
Impossible. Son mépris n'avait pas échappé à Alex. Sans y être invité, il prit place à sa table.
— Il me semble au contraire que vos compatriotes se montrent à la hauteur de leur réputation. Sans trop de finesse, ajouterais-je.
— Vraiment ?
— Oui, *vraiment*. La chaleur, sans doute.
— C'est-à-dire ?
Alex compta jusqu'à sept avant de répondre.
— Oubliez ce que je viens de dire.
— Vous vous moquez de moi, Miss Saunders ?
— Moi ? répliqua-t-elle d'un ton faussement innocent, sans remarquer qu'il l'avait appelée par son nom.
— Je voudrais vous parler, déclara-t-il alors. Si possible sans échanger d'insultes.
Avec une concentration étudiée, elle secoua la cendre de sa cigarette puis leva les yeux.
— Je ne vois pas pourquoi... à moins que vous ne vouliez mettre vos menaces à exécution, fit-elle avec ennui.
Pendant ce qui lui parut une éternité, il ne dit absolument rien, mais se contenta de la fixer avec une telle froideur analytique qu'elle finit par baisser les yeux.
Il adopta alors un ton délibérément dénué de passion.
— Vous avez tout intérêt à oublier ce qui est arrivé cet après-midi, si nous voulons avoir une conversation sérieuse. Considérez que je regrette toute remarque personnelle désobligeante.
Alex n'en croyait rien. Mais où voulait-il en venir ?
— Si vous ne me demandez pas d'en faire autant...
— Je ne serais pas si ambitieux !

— Parfait. Maintenant, au risque de ternir encore ma réputation, puis-je ajouter que j'attends un homme ?

Sur ces mots, comme pour le congédier, elle écrasa sa cigarette.

— Permettez-moi de me présenter, murmura l'homme comme s'il n'avait rien entendu. Kontos. Andros Kontos. Le frère de Théo.

Il attendit. Il avait tout prévu, sauf ce calme parfaitement simulé, comme si elle se donnait le temps de comprendre toute l'étendue de sa révélation.

Pourquoi un inconnu se présenterait-il à elle comme le frère de Théo, si ce n'était pas la vérité ? En examinant à nouveau le visage fin aux traits anguleux, elle ne décela aucune ressemblance avec lui.

— Vous vous prétendez le frère de Théo ?

— Pardonnez-moi, c'est vous qui prétendez avoir un lien avec lui. Moi je *suis* son frère.

Glissant la main dans la poche de sa veste, il en jeta avec irritation le contenu devant elle sur la table.

A quoi bon ouvrir le passeport puisqu'elle ne doutait pas vraiment ? Elle le fit tout de même, pour gagner du temps, ou peut-être, pour le vexer.

Andros Nikolas Kontos était un homme puissant. A trente-sept ans, il avait sans doute définitivement perdu l'habitude de voir sa parole mise en doute.

— Où est-il ?

— Je suis là pour négocier à sa place.

Glissant le passeport dans sa poche, il reprit sèchement :

— J'ai vu le garçon. Je suis prêt à le reconnaître comme le fils de mon frère.

— Je peux vous assurer que cela ne lui a guère porté bonheur ces dernières années.

— C'est ce que j'ai cru comprendre.

Alex se sentit bouillir. Quelle version des faits son

jeune frère lui avait-il donnée ? Il fallait absolument qu'elle lui parle directement.

La jeune femme quitta brusquement son fauteuil, prenant l'homme au dépourvu. Il réussit pourtant à l'intercepter avant la porte.

— Je ne veux pas discuter avec vous, siffla-t-elle.

La main de Kontos se referma sur son bras comme un étau.

— Vous n'avez pas le choix !

— Non ? Dans trente secondes, j'appelle le barman qui nous regarde, et je lui dis que vous m'avez agressée. Voulez-vous un scandale ?

Sans desserrer son étreinte, il répondit d'une voix dangereusement douce :

— Si j'étais vous, je ne ferais pas cela. Ce jeune homme ne saurait comment se tirer de ce mauvais pas, et je serais peut-être obligé de le renvoyer.

En effet, à peine avait-il regardé en direction du bar, que l'autre homme avait détourné la tête.

— Etes-vous le directeur de l'hôtel ?

— Non, le propriétaire.

— Raison de plus pour éviter un éclat, répliqua-t-elle.

— Peut-être. Mais je puis vous assurer que c'est vous qui en feriez les frais.

A coup sûr. L'homme était sur son territoire et prêt à profiter de sa faiblesse. Comme s'il avait deviné ses pensées, il la lâcha.

— Votre suite vous convient-elle, Miss Saunders ? C'est ce que nous avons de mieux.

— Message reçu, monsieur Kontos. Néanmoins, je préfèrerais parler à Théo, même s'il n'a pas le cran de venir « négocier » lui-même.

L'expression de Kontos s'assombrit. Brusquement, elle se trouva entraînée vers une porte dérobée, puis dans un long couloir qui conduisait à un ascenseur privé.

— Où allons-nous ?
— Chez moi, répondit-il laconique.
— Pour voir Théo ?
A présent, elle avait peur. Peur d'entrer avec lui dans la petite cabine, peur de lui, sans raison tangible.
— Qu'avez-vous ? s'impatienta Kontos.
— Je... je suis claustrophobe, mentit-elle.
— Il ne faut que trente secondes pour atteindre la terrasse.
Alex se sentit stupide. Que craignait-elle ? Elle n'avait jamais rencontré d'homme moins sensible à ses charmes ou qui la méprisât davantage.
— Il n'y a aucun danger, reprit-il mi-amusé, mi-irrité, si vous êtes capable de garder vos opinions pour vous pendant trente secondes.
Il referma les portes. Alex voulut protester, mais se contenta de le défier du regard.
— Je vois que vous avez retrouvé tout votre courage, observa Andros Kontos.
L'ascenseur s'arrêta, mais il n'ouvrit pas tout de suite. Si elle souffrait de claustrophobie, sa présence écrasante dans un espace aussi restreint l'aurait déjà conduite au bord de l'hystérie.
— Vous ne répondez pas, Miss Saunders ?
— Je garde mes opinions pour moi.
— Puissiez-vous les garder longtemps, marmonna-t-il en pressant enfin le bouton d'ouverture.
La cabine donnait sur un salon où dominaient les noirs et les gris, rehaussés çà et là de quelques rouges. La pièce était luxueuse, mais avant tout fonctionnelle : une chaîne stéréo, un bar, un canapé flanqué de deux fauteuils du cuir le plus fin. Rien de superflu, pas de bibelots, pas de photographies, pas de tableaux. Comme son propriétaire, l'endroit était la froideur même.
— Où est Théo ? interrogea Alex.

— Que voulez-vous boire ? offrit Kontos en prenant deux verres.

Comme la jeune femme répétait sa question, il leva la tête et l'invita à s'asseoir.

Pivotant alors sur ses talons, elle marcha droit vers l'ascenseur.

— Théo est mort.

Alex se tourna lentement. Tandis qu'il jaugeait sa réaction, elle chercha et trouva la vérité dans son regard.

— Il y a trois ans. Un accident d'hélicoptère.

Il n'avait pas jugé utile de prendre des précautions, d'adoucir l'effet du choc. Alex courut vers le mur de baies vitrées. La ville s'étendait à ses pieds... Il y avait d'autres gratte-ciel, tout aussi laids. Les larmes lui montaient à la gorge... pour Théo et les souvenirs chéris que l'amertume ne ternissait plus, pour Chris qui avait eu raison de lui garder sa confiance... Trois ans !

Mais elle ne pouvait s'accorder le luxe de les verser. Pas maintenant. Le tintement d'un verre lui parvint aux oreilles.

— Tenez, buvez.

Elle accepta le cognac et aperçut le reflet de Kontos dans la vitre. Son expression paraissait plus douce... ou bien n'était-ce qu'une illusion d'optique ?

Baissant les yeux sur l'alcool, elle ferma étroitement les paupières avant d'en boire une gorgée, puis alla prendre place dans un fauteuil, en s'interdisant de pleurer.

— Je suis désolé, Miss Saunders. Je ne vous ai pas épargnée, mais je ne savais pas...

Son petit discours s'arrêta là. Il paraissait sincère, pourtant il ne reçut aucun encouragement de la tête penchée.

— Que cela aurait un tel effet sur moi ? acheva-t-elle à sa place. Soyez sans crainte, je vais très bien.

Prenant l'autre fauteuil, Kontos alluma alors un cigare puis l'observa à travers les volutes de fumée.

— Vous ne dites plus rien ?

Fouillant dans son sac, elle jeta la lettre sur la table.

— Je suppose que Théo ne s'est pas relevé de sa tombe pour écrire cela !

Kontos ne fit pas un geste pour la prendre.

— Je voulais m'assurer que vous viendriez.

Le cœur serré, Alex songea à la torture que sa sœur avait endurée.

— Pourquoi n'avez-vous jamais répondu à nos autres lettres ?

— Envoyés il y a trois ans ? Après l'accident, ma mère détruisait le courrier de Théo, surtout s'il provenait d'Angleterre.

— Mais pourquoi ?

— Quelque chose, ou quelqu'un, y avait retenu Théo si longtemps ! Après l'accident, il ne lui restait même plus la possibilité de rattraper le temps perdu. Mais je suis sûr qu'elle ne connaissait pas l'existence de l'enfant. Moi-même j'ignorais la vôtre jusqu'à ce que la lettre de votre... camarade n'éveille ma curiosité. J'ai arrangé ce rendez-vous, pensant que vous n'en saviez pas davantage sur moi.

Chris ? Sa camarade ? Que savait-il au juste ?

— Puis-je lire la lettre de Chris ?

Le jeune homme sortit le papier de sa poche et le lui tendit en haussant un sourcil.

Alex s'attendait à une lettre d'amour, mais découvrit tout autre chose.

« Il y a si longtemps, Théo. Trop longtemps pour que tu reviennes un jour en Angleterre et trop tard pour poser des questions.

« Je suis malade. Je vais sans doute mourir. Mais Alex et Nicky auront besoin de ton aide. Je t'envoie cette photo dans l'espoir qu'elle te rappellera le jour où tu as tenu ton fils dans tes bras pour la première fois. Tu pleurais de joie. Je veux croire qu'alors tu as été sincère, si l'amour pour sa mère ne l'était pas.

« Pendant que je t'écris, Alex me tourne le dos pour cacher le cynisme dans ses yeux. Si je pouvais te haïr, ce serait pour avoir mis ce cynisme-là dans son regard. Comme son bonheur avec nous a été court ! Combien elle a dû payer pour le peu de joie que nous lui avons donnée !

« Je t'en supplie, Théo, prends Nicky et accorde à Alex la possibilité de redevenir jeune et libre. Elle en a assez fait. Chris. »

Pas de « Cher Théo » ni de « Je t'aime ». Finalement, c'était l'amour le plus ancien qui avait compté le plus : son amour pour sa petite sœur Alex.

— Puis-je la garder ? demanda-t-elle d'une voix tremblante.

Andros haussa les épaules.

— Ce... Chris, est-il mort ?

Alex leva vivement les yeux. *Ce* Chris ? Il croyait que Chris était un homme ! Qui donc pouvait-être la mère de Nick ?

— Oui... Que savez-vous d'autre ?

Elle avait retrouvé tout son mordant. Kontos plissa les yeux.

— Que devrais-je savoir ?

— Rien, en ce qui me concerne.

— Parfait. Allons droit au but. Je veux l'enfant.

— Pourquoi ?

— Pourquoi ? explosa le jeune homme. Est-il le fils de mon frère, oui ou non ?

Comme Alex ne jugeait pas utile de répondre, il parla d'un ton plus rude.

— A moins que ce Chris ne ressemble à Théo ?

Quel être ignoble ! Elle commençait à voir clair en lui.

— Si vous voulez le savoir, Chris était...

— Votre vie privée ne me regarde pas, coupa-t-il. Nick est-il le fils de Théo, oui ou non ? C'est tout ce que je désire savoir.

C'en était trop !

— Mais Chris n'était pas... balbutia-t-elle.

— Inutile de mentir, Miss Kontos, je vais vous dire tout ce que je sais.

Alex voulut protester à nouveau, mais il poursuivit.

— Après quelques mois à Londres, Théo annonçait à l'hôtel où il effectuait son stage qu'il s'installait chez un ami. Comme il savait que l'information parviendrait à notre père, il a omis de mentionner l'autre côté du... triangle, si j'ose dire.

Abasourdie, Alex mit un moment à comprendre quelle conclusion il avait tirée de quelques faits et du mensonge de son frère. Pourquoi Théo n'avait-il pas parlé de Chris à sa famille ?

— Théo était-il marié avant de partir en Angleterre ?

— Non. Vous ne le lui avez jamais demandé ? railla-t-il.

Ignorant son sarcasme, Alex se mit à penser à voix haute.

— Théo a eu peur de dire la vérité...

— Il est parti en Angleterre pour apprendre l'hôtellerie, pas pour...

Sa phrase resta en suspens. Mais il avait touché un point sensible.

— Pas pour quoi ? Parlez !

— Pas pour batifoler avec une petite Anglaise trop idiote, ou trop rusée, pour prendre des précautions. Satisfaite ?

Alex, qui n'avait jamais dormi avec un homme de sa vie, ne broncha pas et fixa sur lui son regard impassible.

— Attendez-vous des excuses ?

— Avez-vous l'intention de vous excuser ?

— Non, glapit l'homme en quittant son fauteuil. Est-il, oui ou non, le fils de Théo ?

— Oui, dit-elle en levant la tête vers l'ombre menaçante qui la dominait de toute sa hauteur. Mais ne croyez pas que je vais vous le donner.

— Combien ?

— Combien ? répéta-t-elle, incrédule.

— Assez joué ! Je vous offre dix mille cash et autant chaque année si vous vous tenez à l'écart de l'enfant.

Ses mots la pénétrèrent lentement, comme un poison insidieux. Non seulement il était prêt à acheter son neveu, mais il avait pu concevoir l'idée qu'elle était venue marchander avec lui ! Quelle sorte d'homme était-il donc ?

— Dollars, drachmes ou livres ? lança-t-elle.

Comme il allait répondre, elle se hâta d'ajouter :

— Inutile, à ce prix-là, je ne vous vendrais pas même un chien !

Sur ces mots, elle se précipita vers l'ascenseur et pressa furieusement le bouton. Andros ne fit pas un geste pour l'arrêter.

— Il est fermé.

— Ouvrez-le ! Je veux rentrer dans ma chambre.

— J'ai presque envie de vous croire, marmonna-t-il.

— Que dites-vous ?

— Rien... Quinze mille, en livres sterling. Je n'irai pas au-delà.

Il devait plaisanter !

— Et si je refuse ?

— Je vous prendrai l'enfant, répondit-il sans un soupir d'hésitation.

Non seulement il était sérieux, mais il était dément !

— Vous ne pourrez pas !

— Nous verrons, murmura-t-il sourdement menaçant. Je préfère la négociation au procès, pourtant s'il le faut j'irai jusque-là. Votre passé étant ce qu'il est, je suis sûr de gagner.

Quelle brute arrogante !

— Et si mon passé n'était que le pur produit de votre imagination ?

Il eut un rire sardonique.

— Votre seule force est d'être sa mère. Mais vous avez commis l'erreur de le placer dans un orphelinat.

— Comment le savez-vous ?

— Un ami londonien a vérifié que vous habitiez bien à l'adresse indiquée par la lettre de votre ami. Comme vous n'avez pas répondu immédiatement à la mienne, je lui ai demandé d'y aller. Vous étiez sortie. La voisine a déclaré que l'enfant avait été placé dans une institution. J'aurais pu venir à Londres et discuter directement avec les services sociaux, mais apparemment, vous aviez changé d'avis.

— Je... je n'y arrivais pas... bredouilla-t-elle.

— Je ne vous demande pas d'explications. En tant qu'homme d'affaires, je comprends la notion de profit.

Comme Alex cherchait les mots pour se défendre, il fit quelques pas vers elle. La peur qu'il lui inspirait commençait à trouver un terrain concret. Kontos possédait peu de renseignements, mais il était sûr de gagner. Il devait avoir l'habitude.

— J'aurais pu demander une enquête complète, mais je n'ai pas voulu.

— Pourquoi ?

— Vous ne pourriez pas comprendre.

Il sous-estimait pourtant l'intelligence d'Alex.

— Vous voulez faire comme si Nicky était né d'une immaculée conception ?

Kontos tressaillit.

— Dans ce cas, la vierge serait votre frère ! insista-t-elle.

— Vous savez comment présenter les choses, *Miss* Saunders.

Elle comprenait tout à présent : il la haïssait pour avoir vécu avec Théo et son « ami » Chris, pour avoir conçu Nicky hors des liens sacrés du mariage et l'avoir ensuite abandonné, puis repris dans le but le plus méprisable.

Seulement Kontos, lui, n'avait rien compris ! Et si elle lui disait la vérité ? Que Nicky n'était ni son fils, ni le bâtard qu'il croyait ? Oh, cela changerait tout ! Il n'aurait plus aucun mal à le lui enlever !

Elle avait envie de l'envoyer rôtir en enfer, mais la prudence prit le dessus.

— C'est bon, j'accepte de négocier.

Surpris, l'homme haussa un sourcil. Peut-être avait-elle capitulé trop vite.

— ... mais pas à ce prix.

Elle se glissa dans son rôle, embrassant du regard le décor luxueux qui l'entourait.

— Vous pouvez offrir plus : vingt mille...

Avec une insolence inouïe, elle lui fit face à nouveau. Il fallait qu'il la croie. L'ayant désarmé, elle pourrait enfin partir, et emporter avec elle les illusions qu'il lui avait fait miroiter.

Elle avait gagné : sa bouche esquissa un sourire railleur.

— Pendant deux minutes j'ai cru m'être trompé à votre sujet.

— Vous, monsieur Kontos, vous tromper ! Et bien, marché conclu ?

— Marché conclu.

Andros hocha la tête et n'ajouta rien. Il sentait que la jeune femme se moquait de lui aussi ouvertement que si elle lui avait éclaté de rire au nez. Si l'enjeu avait été différent, il aurait relevé le défi. Il avait d'autres idées en tête en ce qui concernait cette fille étrangement attirante...

— Demain matin, j'appellerai mon avocat pour qu'il rédige les documents nécessaires.

— Parfait.

Elle serait déjà partie.

— A présent, puis-je regagner ma chambre ?

Déverrouillant l'ascenseur, il y entra avec elle.

— Je vous raccompagne.

— C'est inutile.

— Probablement, acquiesça-t-il en refermant les portes.

Trop fatiguée, trop ébranlée par une si rude soirée, Alex ne releva pas l'insulte. Ensemble, ils traversèrent les parties publiques de l'hôtel puis regagnèrent le onzième étage sans prononcer un seul mot. Etait-il également affecté par la tension qui montait depuis qu'ils n'avaient plus rien à se dire ?

Arrivé à un mètre de la porte, le jeune homme rompit le silence.

— Puis-je voir l'enfant ?

— Pourquoi ?

Pivotant sur ses talons, elle lut la réponse sur son visage qui n'avait pas eu le temps de redevenir impassible. Ainsi, donc, il n'était pas tout à fait de marbre ? Un semblant de vie palpitait au-dedans de lui, réveillé par Nicky, sa chair et son sang ?

Mais elle devait vaincre.

— Il dort.

— Je voulais seulement le regarder encore.

Pour vérifier qu'il ressemblait bien à Théo ? Il n'avait exigé aucune preuve... Mais non, il désirait que Nicky fût son neveu, tout comme elle regrettait qu'il le soit.

— Il a le sommeil agité, il risque de s'effrayer, s'obstina-t-elle.

— Cela vous inquiète ?

— Il est aussi ma chair et mon sang ! s'écria-t-elle dans un moment passionné, oubliant qu'elle venait de vendre ses droits sur Nicky. Et vous avez six ans de retard.

— Je rattraperai le temps perdu.

— Comment ? En le couvrant de cadeaux ?

Comme elle tournait la poignée, il lui saisit le bras et l'obligea à lui faire face.

— Est-ce que je me trompe ?

— Que voulez-vous dire ?

— A votre sujet ?

Il scrutait son visage. Une telle puissance émanait de lui qu'elle se soumit à son examen sans esquisser un geste. Il fit alors la chose la plus incroyable : prenant une mèche de ses longs cheveux blonds entre ses doigts, il murmura :

— Ce rôle ne vous convient pas, Alex Saunders.

Pourquoi ? Parce qu'elle était une vraie blonde ? Parce qu'elle ne portait pas de maquillage ? Ou parce que son geste intime l'avait fait rougir ?

Elle s'écarta vivement.

— Pourquoi ? interrogea-t-il.

Il lui offrait une dernière chande de dire la vérité, mais elle préféra laisser passer l'occasion.

— Il est parfois difficile de se montrer à la hauteur des clichés, surtout après plusieurs heures de vol. Bonne nuit.

Et elle pénétra dans sa chambre. Qu'il interprète ses paroles comme bon lui semblerait ! Le plus implacable des deux aurait la victoire, et elle n'avait pas l'intention de perdre une seconde de sommeil à se demander si elle serait celle-là !

3

Alex s'éveilla peu après l'aube. Elle avait laissé un large espace entre les rideaux et cligna des yeux pour les protéger de la lumière déjà vive qui tombait directement sur son visage.

Cherchant sa montre à tâtons, elle se glissa hors du lit. Un peu moins de six heures. Un bref instant, elle essaya de se rappeler pourquoi elle devait se lever si tôt... Mais très vite les souvenirs de la nuit précédente lui redonnèrent tout son courage.

Elle resta longtemps sous la douche puis s'habilla à la hâte d'un pantalon blanc et d'une vaste chemise blanche à la coupe masculine, resserrée à la taille par une large ceinture, et noua enfin ses cheveux mouillés avec un petit ruban bleu.

D'ordinaire, elle ne s'attardait guère devant son miroir. Aujourd'hui, pourtant, elle se regarda longuement dans la glace, les mains sur les hanches, étudiant d'un côté puis de l'autre sa silhouette mince, mais très féminine, son visage expressif aux yeux bleu vif et au nez droit au-dessus d'une bouche généreuse.

Elle ne découvrit cependant rien de nouveau, même après avoir compris avec quels yeux elle essayait de se voir. Que lui importait ce qu'il pensait, lui et ses préjugés étroits ?

Elle regagna la chambre pour réveiller Nicky. L'enfant avait enfoui la tête dans l'oreiller. Comme elle le retournait doucement sur le dos, il remua les lèvres en rêvant.

Alors tout recommença... cette même litanie que son cerveau n'avait cessé de lui répéter toute la nuit tandis qu'elle luttait pour trouver le sommeil... Elle avait toujours travaillé pendant toutes ses vacances, et le samedi quand elle pouvait dénicher un travail à mi-temps au cours du trimestre. Cela comptait ! Lorsque Nicky était malade et que Chris travaillait, elle le veillait la nuit plus souvent qu'à son tour. Cela comptait encore ! Elle aimait Nicky, totalement, sans réserves, comme son propre enfant. Cela comptait plus que tout ! Pourquoi diable s'était-elle mis en tête qu'Andros Kontos et sa fortune pouvaient offrir plus que son amour ?

Alex s'éloigna du lit pour choisir un pantalon et un tee-shirt. Comme ses propres vêtements, la plupart de ceux du garçon provenaient de soldes. Il ne se plaignait jamais, même s'ils ne lui allaient pas toujours. Combien de temps cela durerait-il ?

Allons, les vêtements n'avaient pas d'importance ! Et puis, tout finirait par s'arranger : elle trouverait un travail bien payé, un appartement, elle aurait de l'argent. D'ailleurs elle en avait déjà : celui qu'avait envoyé Kontos comme appât et dont elle avait utilisé une partie pour acheter leurs billets d'avion.

Elle secoua doucement Nicky pour le réveiller et le tira bon gré mal gré vers la douche, puis partit en laissant la porte entrouverte. Au bout d'un moment, elle l'entendit s'esclaffer. C'était bien la première fois qu'il riait ainsi sous la douche ! Elle lui accorda encore dix minutes de plaisir puis pénétra dans la salle de bains avec les vêtements : il buvait l'eau à pleine bouche.

— Pouah ! fit-elle, dégoûtée.

— Elle est froide ! réussit-il à articuler.

En effet, l'eau était glacée. Il avait manipulé le mitigeur en son absence ! Alex sortit aussitôt le petit garçon et le frictionna vigoureusement, sourde à ses protestations.

— C'était si drôle, Alex ! On aurait dit des aiguilles ! C'était même agréable.

— Masochiste !

— C'est quoi, un masochiste ?

Avant le petit déjeuner, Nicky posait en moyenne vingt questions insolubles. Encore dix-neuf !

— Quelqu'un qui aime les fessées ! dit-elle en lui donnant une petite tape.

— Non, Alex ! Non ! hurla l'enfant en éclatant de rire.

Elle acheva de lui sécher les cheveux.

— Habille-toi ! commanda-t-elle un peu sèchement.

— Tu es en colère ? demanda Nicky, soudain alarmé.

Elle lui passa son tee-shirt.

— Non, mais ne recommence pas, d'accord ?

— A cause de ma toux ? Il y a longtemps que je ne tousse plus !

Deux mois ! Mais Alex n'insista pas. Nicky n'aimait pas être traité comme une poupée de porcelaine et, ce matin, elle n'avait pas envie de le gronder.

Finalement, Alex n'eut pas besoin de trouver un biais pour annoncer leur départ.

Tandis qu'elle rassemblait leurs effets de toilette, Nicky avait regagné la chambre, tombant en arrêt devant la valise ouverte et les vêtements soigneusement pliés.

— Papa vient me chercher pour m'emmener sur l'île ?

Pas de préambules.

— Désolée, Nick... Je ne savais pas... Ton papa est mort.

Inutile de s'étendre sur le pourquoi et le comment. L'enfant répondit par un silence résigné, comme si c'était plus ou moins ce qu'il attendait.

Et, comme elle s'agenouillait devant lui sur le tapis, il se jeta dans ses bras et la serra avec force.

— Ne me quitte pas, Lex, sanglota-t-il. Ne me quitte pas, c'est toi que j'aime.

— Je te le promets, mon chéri, répondit-elle d'une voix étranglée, en l'étreignant avec la même violence.

— Jamais ! Dis, jamais !

— Jamais, jamais, jamais... répéta-t-elle encore et encore.

Il lui fallait s'en convaincre elle-même. Elle l'aimait, elle avait besoin de lui, elle aussi.

Alex avait calculé qu'à sept heures moins le quart, le personnel de l'hôtel serait très réduit. Elle ne savait pas si elle devait sortir valise à la main, en espérant trouver un taxi, ou s'adresser directement à la réception pour en demander un.

Elle opta pour la deuxième solution, sûre de ne pas rencontrer Kontos dans le hall à pareille heure. Néanmoins, elle prit une petite précaution.

— Alors, tu as bien compris, Nicky ? Tu descends au rez-de-chaussée, tu vas jusqu'à la porte et tu m'attends au bas des marches.

— Mais pourquoi, Lex ? demanda-t-il en jetant un regard inquiet dans le couloir vide, comme s'ils jouaient aux espions.

— Fais ce que je te dis.

— D'accord. Ils nous poursuivent ?

— Qui ?

Alex se figea une fraction de seconde, regrettant de s'être montrée mystérieuse. A quoi bon ? Kontos ne pouvait tout de même pas les retenir ?

— C'est un jeu, improvisa-t-elle. Si l'un d'entre eux

t'arrête dans le hall, tu dis que ta mère t'attend dehors. Et si on te demande ce que tu fais dehors, tu dis que je suis à l'intérieur, et que j'arrive. Compris ?

— Je vois.

Il fronça les sourcils. Le jeu lui paraissait absurde, mais puisque Alex avait envie de s'amuser...

— Si je suis à l'intérieur, tu es dehors, si je suis dehors, tu es à l'intérieur.

— C'est ça ! grimaça-t-elle. Allez, va ! Et rappelle-toi, ne t'éloigne pas de l'entrée.

Elle ouvrit les portes de l'ascenseur pour lui, poussa le bouton du rez-de-chaussée puis retira sa main. Quand la cabine remonta de nouveau, elle respira plus librement : même au cas où Andros aurait laissé des instructions à son personnel, la première équipe du matin ne la remarquerait pas, en l'absence de Nicky.

Pourtant, lorsque l'employé la salua, elle sursauta comme sous l'effet d'une bombe.

— Madame se lève tôt !

— Oui... il fait beau, répondit-elle en grec.

— Madame veut-elle déjeuner ? Nous allons ouvrir la salle à manger.

Madame mourait de faim, mais le petit déjeuner attendrait. Avec une facilité déconcertante, Alex lui débita mensonge sur mensonge : elle devait prendre l'avion pour Rome, aurait-il la gentillesse d'appeler un taxi ? Elle avait payé la note la veille.

Il semblait tout avaler, mais hélas, sa chance avait tourné...

Stavros dormait debout. Le cerveau embrumé, il se reprochait d'avoir accepté de remplacer l'autre portier ce matin. L'employé lui cria d'arrêter un taxi pour la dame. L'espace d'une seconde, il posa les yeux sur elle... Stavros savait reconnaître les jolies femmes.

C'était bien la même. Mais où était le petit garçon ? Il obtint sa réponse en franchissant les portes. Il hésita en haut des marches : pourquoi le patron s'intéressait-il à cette fille ? On se posait des questions, surtout à cause du petit garçon qui aurait pu être grec ! S'il avait demandé qu'on le prévienne de son arrivée, peut-être voudrait-il savoir quand elle partait ? Peut-être le savait-il déjà. Peut-être pas...

Il était tôt. Stavros pouvait faire quelque chose... ou perdre son travail. Il lança en l'air une pièce imaginaire. Face, Alex avait perdu.

Le réceptionniste lui lança un regard de reproche quand il déclara qu'il n'y avait pas de taxi et prit le téléphone. Le Central assura que deux voitures se dirigeaient déjà vers l'hôtel, et la jeune femme consulta sa montre avec anxiété. Stavros avait pris un risque. Il avait gagné.

Au bout d'un quart d'heure, Alex consultait sa montre pour la dixième fois, quand le portier annonça que son taxi était arrivé. Prenant sa valise, il se dirigea vers la porte.

— Votre petit garçon a voulu s'asseoir dans la voiture, madame.

Le taxi était bleu foncé, avec des vitres fumées pour filtrer la lumière du soleil et éviter les regards des curieux. Elle se pencha... et se figea sur place, incrédule. Comment avait-elle pu être aussi naïve ? Comment avait-elle pu tomber si facilement dans le piège ?

L'homme assis à l'arrière parla le premier.

— A vous de choisir, Miss Saunders. Entrez calmement et fermez la porte, ou nous partons sans vous.

Le chauffeur mit le moteur en marche. Kontos ne pouvait pas faire une chose pareille !

— Lâchez-le ! cria-t-elle, horrifiée. Espèce de brute, ôtez votre main de sa bouche !

Peut-être Kontos avait-il compris : il laissa le petit garçon crier « Lex ! Lex ! » mais sans lui lâcher la taille.

— Décidez-vous, gronda-t-il avec une voix rauque qui s'entendait malgré les cris aigus de Nicky.

Ce fut inutile : les râles qui ponctuaient chaque cri décidèrent à sa place. Une fois la portière refermée, l'enfant put enfin s'échapper et se réfugia sur les genoux d'Alex.

— Brute ! lança-t-elle tandis que la voiture démarrait.

Puis, ignorant tout à fait son compagnon, elle entoura l'enfant d'un bras et murmura :

— Tout va bien, Nicky, tout va bien...

De l'autre main, elle ouvrit son sac. L'enfant cessa de crier, mais sa respiration demeurait haletante. Déversant le contenu de son sac sur le siège, elle trouva enfin l'inhalateur.

— Calme-toi, Nicky, respire, plus fort... Voilà...

Tandis qu'elle encourageait l'enfant, elle sentait le regard de l'homme, sa culpabilité presque tangible. Peu à peu, Nicky retrouva une respiration plus normale. Le Grec demanda s'il fallait appeler un médecin, mais elle secoua la tête, haussant les épaules quand il voulut savoir si son asthme était d'origine psychosomatique. Nicky avait eu très peur, mais cette crise pouvait aussi bien être la conséquence de la douche glacée.

— Ça va mieux ?

Comme il hochait la tête, elle ôta l'inhalateur.

— Il est avec « eux » ? demanda aussitôt le petit garçon.

— Non, Nicky.

— J'ai dit que tu étais à l'intérieur, mais il a déclaré que tu voulais que j'attende dans la voiture, expliqua-t-il, craignant d'avoir commis une erreur quelque part. Quand j'ai voulu t'appeler, il a mis sa main sur ma bouche. Et j'ai eu peur parce que je croyais qu'il était avec « eux ».

Andros Kontos ne fit aucun commentaire, mais son regard interrogateur n'échappa pas à Alex.

— Non, répéta-t-elle, pressée de changer de sujet, avant que Nicky n'entre dans les détails.

A présent son plan lui apparaissait dans toute sa naïveté.

— C'est un ami.

Nicky réfléchit un instant, puis revint à la charge.

— Pourquoi il a mis sa main sur ma bouche ?

Alex lança un regard à Andros Kontos, aussitôt imitée par Nicky qui semblait attendre sa réponse.

— Pardonne-moi si je t'ai fait mal. C'était involontaire.

— Oh ! fit Nicky, sceptique.

— A-t-il souvent ces crises ? interrogea le Grec.

— De temps en temps...

Kontos étudia le visage pâle et émacié de son neveu.

— A-t-il une santé fragile ?

— Je ne suis pas malade !

Agressive et prononcée à voix forte, l'interruption de Nicky fut accueillie par une expression sévère. Visiblement, dans l'univers d'Andros, les enfants ne parlaient pas sans être interrogés.

— Il a l'air chétif, observa Kontos.

— Mais il n'est pas sourd.

— C'est-à-dire ?

— Rien ! répliqua-t-elle sèchement.

— Rien ! répéta Nicky avec une insolence inhabituelle.

Maintenant qu'Alex était avec lui, l'homme ne lui faisait plus peur. Mais sa tante lui ordonna de se taire.

— Oui, Lex...

— Cet enfant est mal élevé, poursuivit Kontos.

— Croyez-vous qu'un cours accéléré soit souhaitable en cet instant précis ?

— Vous avez sans doute raison, acquiesça-t-il à sa grande surprise.

Brusquement Alex eut pitié de cet homme qui ne comprenait rien aux enfants. C'était absurde ! Mais la situation tout entière était absurde.

Baissant la tête, elle murmura quelque chose à l'oreille de Nicky. Il hocha la tête, avec pourtant une certaine réticence.

— Votre chauffeur pourrait-il s'arrêter un instant afin de laisser Nicky s'asseoir devant ? demanda Alex à voix haute.

— Pourquoi ?

Alex refoula plusieurs réponses sarcastiques.

— Il en a envie, déclara-t-elle en lançant à Nicky un regard qui le défiait d'affirmer le contraire.

Méfiant, Andros fit glisser la paroi de verre qui les séparait du chauffeur et lui donna ses ordres en grec. Le changement s'effectua rapidement : Kontos fit passer l'enfant de son côté et ordonna à Alex de ne pas bouger.

Celle-ci obéit dans un silence glacé et attendit qu'il eût refermé la cloison.

— Je ne suis pas folle ! gronda-t-elle alors.

— Vraiment ?

— Nos bagages sont dans le coffre et j'ai oublié mon guide d'Athènes. Je ne vois pas où nous pourrions nous enfuir !

— Je regrette, dit-il enfin d'un ton étrangement doux.

— Comment ?

Alex n'en croyait pas ses oreilles.

— Vous m'avez très bien compris, Miss Saunders. Je regrette de vous avoir soupçonnée de vouloir vous enfuir.

— Je... bredouilla-t-elle, déconcertée.

— Et je regrette également d'avoir fait mal à mon... à votre fils. Vous... ne lui avez pas parlé de moi ?

— Que croyez-vous ? Que j'allais lui demander de choisir entre moi et un oncle riche ! Pour l'amour du ciel, cet enfant n'a que six ans !

— C'est-à-dire ?

— Cessez donc de répéter cette question !

— Laquelle ?

— Oh, rien !

Et elle commença à ramasser les objets qui s'étaient échappés de son sac. Mais il s'empara de son poignet.

— Jamais une femme... jamais personne n'a osé me parler ainsi !

Son étreinte se resserra douloureusement.

— Je n'aime pas cela !

— Est-ce une menace ?

Comme elle essayait de dégager son bras, il serra plus fort.

— Vous sentez-vous menacée ?

Pendant quelques secondes, oui. Elle perdit courage au point de trembler. Satisfait, il la relâcha.

— Je veux bien mettre cela au compte de votre nationalité.

— Merci, marmonna Alex.

— Moi, je suis bien élevé, reprit-il en l'aidant à ramasser ses affaires.

Comme elle soufflait un merci étranglé, il ajouta :

— Vous decouvrirez également que je ne suis pas la brute que vous croyez.

Alex ne put s'empêcher de rougir. Etait-ce là l'une des épithètes dont elle l'avait gratifié ?

— Que faites-vous ? s'écria-t-elle en le voyant ouvrir le portefeuille qu'il venait de ramasser sur le sol.

— Tout cela est à moi ? interrogea-t-il en retirant les billets et les chèques de voyage.

Oui, jusqu'au dernier sou. Et elle n'allait pas le supplier de lui rendre l'argent !

— Vous le reprendrez de toute façon ! répondit-elle avec amertume.

— A moins que vous ne respectiez le marché que j'ai cru avoir conclu avec vous hier soir.

— Allez au...

Mais son imprécation demeura en suspens car les doigts de Kontos venaient de se refermer à nouveau autour de son poignet comme les mâchoires d'un étau.

— Je ne vous ai pas autorisée à jurer.

— Vous me faites mal, gronda-t-elle entre ses dents.

— C'était bien mon intention. Ne vous a-t-on jamais appris qu'il faut plier au lieu de rompre ? Plus d'insultes, entendu ?

Brute sadique et arrogante ! Comme les insultes muettes ne comptaient pas, elle hocha la tête puis libéra son bras.

— Voulez-vous savoir où nous allons ? dit-il au bout d'un moment.

— A quoi bon ?

— Je pensais que cela pourrait vous intéresser.

— Vous nous avez kidnappés ! Je pourrais vous demander de faire demi-tour et de nous conduire à l'aéroport, mais quelque chose me dit que je perdrais mon temps. Donc peu m'importe où nous allons.

— Un point pour vous, fit-il, amusé. Vous êtes vraiment imprévisible.

— Pas assez, répondit-elle avec une pointe d'amertume.

Andros lisait en elle avec une facilité déconcertante.

— Oh, je soupçonnais bien qu'il y avait quelque chose d'anormal hier soir, mais vous m'avez pris au dépourvu. Si le portier ne vous avait pas reconnue...

— Vous ne m'attendiez pas ?

Il passa un doigt sur sa joue bleuie.

— Ai-je l'air de vous avoir attendue ?

Il n'était pas rasé. Alex observa également qu'il ne

portait pas de cravate : sa chemise blanche largement ouverte laissait apparaître sa gorge bronzée...

— J'espère que je ne vous choque pas, Miss Saunders.

Alex détourna vivement les yeux.

— A peine. Vous me connaissez.

— Je vous connais ? En admettant que vous êtes maintenant reposée, vous ne répondez toujours pas à votre stéréotype.

— Déçu ? railla-t-elle.

— Je ne sais pas encore... Je ne peux pas dire si vous m'irritez ou si vous m'amusez !

A en juger par le ton qu'il avait adopté, il s'amusait plutôt et elle en fut plus furieuse encore.

— Quels sont vos plans ? demanda-t-elle à brûle-pourpoint.

— Mes plans ? répéta-t-il, surpris.

Alex se sentit bouillir à nouveau.

— Je suppose que vous n'irez pas jusqu'au meurtre pour obtenir la garde de Nicky ?

— Qui sait ?

Une fraction de seconde Alex écarquilla les yeux de terreur. Andros Kontos eut alors un large sourire.

Il se moquait ouvertement d'elle ! Qu'il soit maudit !

— Mes plans sont adaptables.

— Que voulez-vous dire exactement ?

— Je veux dire, Miss Saunders, commença Andros d'un ton plein d'ennui, qu'il est...

Il consulta sa montre.

— ... presque huit heures, que je n'ai pas déjeuné et que je ne prends jamais de décision l'estomac vide.

4

Combien de kilomètres avaient-ils parcouru ? Quarante ? Cinquante ? La voiture s'éloignait du littoral, gravissant l'antique montagne qui surplombait la mer et dont elle suivait la déclivité naturelle sur une piste de terre.

Très loin, en contrebas, étincelait la Méditerranée. Emerveillée par la beauté du paysage, Alex offrait son visage à la caresse de la brise qui portait le parfum de la mer, frais et salé à la fois.

Dans son ravissement, elle avait tout oublié, mais la voix d'Andros la ramena brusquement à la réalité.

— C'est beau, n'est-ce pas ?

Tournant la tête, elle surprit son regard fixé sur elle et son expression redevint aussitôt froide et hostile. Oui, acquiesça-t-elle en silence en se détournant à nouveau vers la fenêtre. Mais où se trouvaient-ils ?

Après un virage, la voiture quitta la route sinueuse, pour s'engager dans une autre, plus étroite, goudronnée. Malgré ce trait de civilisation, la jeune femme sentit un vent de panique. Mais que faire, sinon attendre ? Elle ne pouvait pas préparer une évasion d'une prison qu'elle ne connaissait pas encore...

Elle ne tarda pas à combler ses lacunes : un toit de tuiles rouges apparut bientôt, masqué par intervalles derrière une végétation semi-tropicale. La route s'acheva brutalement devant les portes d'un garage. La maison, construite sur un niveau inférieur et entourée d'une épaisse clôture, demeurait invisible.

On l'invita à descendre. Le chauffeur ouvrit une grille : à flanc de colline se dressait une villa de deux étages, qui jouissait d'une vue splendide sur la mer... et d'un isolement absolu.

Au moment où elle allait céder à l'envie de prendre ses jambes à son cou, Alex sentit une main se refermer sur son bras.

— Vous n'avez rien à craindre, assura Andros.

A mi-chemin, une sorte de palier rejoignait la terrasse qui entourait l'étage supérieur et permettait de contourner la maison.

— La mer, Lex ! s'écria Nicky.

— Oui, se contenta de marmonner Alex.

L'étendue bleue et scintillante paraissait infinie, presque irréelle. La jeune femme avait vécu toute sa jeune vie dans les limites de l'une des villes les plus denses d'Europe. Rien ne pouvait la désorienter davantage que cette maison élevée au milieu d'une solitude sublime.

Andros s'éloigna, ouvrit des volets de bois pour laisser pénétrer l'air et la lumière à l'intérieur, puis revint sur ses pas. Il scrutait son visage, comme à l'affût de ses moindres réactions. Le silence s'étira...

— Qui habite ici ?

Andros marqua sa surprise.

— Moi. Pourquoi ?

— Je ne sais pas... c'est si différent de votre appartement.

— Vous pensez qu'il me ressemble davantage ?

— Peut-être...

— Comment le décririez-vous ?

Alex fut tentée de répondre : stérile et sans caractère, mais elle se ravisa.

— Je crains que ma réponse ne dépasse les limites de votre tolérance.

— A la bonne heure. Vous commencez à comprendre !

La jeune femme dut résister à l'envie d'effacer son sourire arrogant par une gifle. Mais elle n'avait pas réussi à la dissimuler tout à fait, car il baissa les yeux sur ses poings serrés.

— Je crois qu'il vous faudra du temps.

— Pourquoi ? rétorqua-t-elle.

Heureusement, Nicky choisit cet instant précis pour tirer sur la jambe de son pantalon.

— Lex, j'ai envie d'aller aux toilettes.

Le tension retomba. Prenant la main de l'enfant, Kontos l'entraîna vers une chambre. Comme Alex les rejoignait à la porte de la salle de bains, il lui fit signe de le suivre.

— Je vais vous montrer votre chambre, puis nous ferons le tour du propriétaire. Il se peut que vous restiez ici quelque temps.

— Je ne crois pas.

— Nous verrons.

Lui saisissant le bras, il la guida vers une porte située au milieu de la terrasse.

— Celle-ci est la plus claire et on y a la plus belle vue sur la mer.

C'était vrai. La chambre séduisit Alex par la simplicité de ses murs blancs et de ses tapis artisanaux entre lesquels luisait un parquet bien ciré. Le lit, très large, était recouvert d'un jeté blanc. Le reste du mobilier, en bois blond, prolongeait le charme de cette pièce baignée de lumière.

— Elle vous plaît ? interrogea Kontos, irrité par son silence obstiné.

— Inutile, grommela-t-elle, je n'ai pas l'intention de jouer à la cliente satisfaite.

Kontos l'attira alors violemment vers lui et resserra son étreinte autour de ses bras.

— Dites-moi, Alex Saunders, n'avez-vous jamais reçu une gifle ?

Sous le choc, elle écarquilla les yeux.

— Non, naturellement !

Comme il levait la main, elle obéit à un réflexe de protection. Mais le coup ne vint jamais. Elle se sentit stupide, comme un petit animal peureux.

— Vous m'étonnez, déclara-t-il alors avant de l'écarter doucement.

Comme la veille, il cherchait à l'effrayer, pour ensuite se moquer de ses craintes, comme si elles n'étaient que le fruit d'une imagination trop vive. Cette fois pourtant, la jeune femme perçut un autre message : il venait de lui indiquer les limites qu'elle ne pouvait franchir.

Au bout d'un moment, Nicky réapparut au balcon.

— Je vous laisse lui expliquer la situation, déclara alors Kontos. Ensuite nous prendrons le petit déjeuner.

— Vous me faites confiance ?

— Non. Mais je ne peux pas vous empêcher de lui donner la version que vous choisirez.

Alex le regarda s'éloigner en bouillonnant de colère. Il avait une bien piètre opinion d'elle ! Et après tout, pourquoi ne pas s'en montrer digne ? Il les avait réellement kidnappés, et ils étaient réellement ses prisonniers, même si la villa ne ressemblait pas à une geôle traditionnelle.

— Tu n'as pas tout vu, s'écria alors Nicky en lui prenant la main.

Il l'entraîna à l'autre bout du balcon pour lui montrer ce qu'il venait de découvrir.

— Une piscine ! expliqua l'enfant comme s'il était nécessaire de décrire le bassin d'eau bleue et transparente qui s'étendait sous leurs pieds.

— Absolument ! rit Alex.

— Comment fait-on pour la remplir ?
— Je ne sais pas.
Alex secoua la tête : elle pouvait fort bien concevoir comment on construisait une maison dans le roc, mais la technique utilisée pour approvisionner une piscine en eau fraîche lui demeurait totalement étrangère.
— On reste ici ? poursuivit Nicky que la perspective ne semblait guère alarmer.
— Oui, quelque temps, peut-être.
— Avec le monsieur ?
— Oui...
L'enthousiasme de l'enfant retomba aussitôt.
— Je ne l'aime pas.
La conscience morale d'Alex n'allait pas jusqu'à lui dresser la liste des vertus de Kontos... S'il en avait ! Mais elle se sentit le devoir de le rabrouer.
— Tu ne le connais pas encore.
— Il ne t'aime pas, Lex.
Elle tressaillit. « La vérité sort de la bouche des enfants ! » soupira-t-elle intérieurement.
— Pourquoi crois-tu cela ?
— Il te regarde d'une drôle de façon !
Cela, Alex ne pouvait le nier.
— Ecoute, il m'arrive de me mettre en colère contre toi quand tu es vilain. Eh bien, cet homme se met aussi en colère contre moi, mais cela ne veut pas dire qu'il ne m'aime pas.
— Comme quand tu l'as giflé dans le parc ?
Comme elle hésitait, Nicky ajouta :
— Il était vraiment furieux, tu te souviens ?
Comment l'aurait-elle oublié ? Kontos avait promis de le lui faire regretter, et il avait tenu parole.
— Pourquoi es-tu monté dans sa voiture ?
Le petit front se plissa.
— Il a dit que tu le voulais. Il était gentil. Et puis, il a mis sa main sur ma bouche. Pourquoi ?

— Il n'a pas voulu te faire mal, tergiversa-t-elle. Il a dit qu'il ne recommencerait pas.

Avait-elle réussi à l'apaiser? Quoi qu'il en soit, le sujet perdit brusquement tout intérêt pour lui, et il glissa la tête entre deux barreaux de la balustrade pour scruter au loin la ligne où la mer rejoignait le ciel.

— Je ne la vois pas, Lex.

— Quoi, Nick?

— L'île, répondit-il comme s'il ne pouvait pas s'agir d'autre chose. Elle était comme ça sur la carte.

Son pouce et son index se rapprochèrent ne laissant qu'un minuscule espace entre eux.

— Mais elle est à des kilomètres.

— Oui, acquiesça Alex. Nick... es-tu déçu à cause de papa et de l'île?

L'enfant ne répondit pas directement, mais sa lèvre inférieure trembla légèrement.

— C'était peut-être bien un rêve, comme tu disais, Lex.

Peut-être pas, songea la jeune femme, le cœur serré.

— Allons demander au monsieur, suggéra-t-elle enfin. Il doit bien le savoir puisqu'il connaissait bien ton père.

— Lui? interrogea l'enfant, sceptique.

Andros Kontos avait décidément fait une très mauvaise impression sur son neveu. Pourquoi tenter d'y remédier? A son tour, Alex embrassa l'étendue bleue du regard. Peut-être toute cette beauté avait-elle un effet grisant, car lorsque ses yeux se reposèrent sur l'enfant, elle s'entendit avouer :

— Oui, Nicky, il est le frère de ton père.

L'enfant demeura interdit. Mais à quoi s'attendait-elle au juste?

— Il est donc mon oncle... comme toi tu es ma tante.

Alex entrevit tout de suite les conséquences de sa remarque.

— Ecoute, Nicky, pourrais-tu dire à cet homme que... que je suis ta mère, pas ta tante ?

Mais l'enfant, après réflexion, la débarrassa de tout sentiment de culpabilité.

— C'est ce que tu es maintenant. Je ne mentirai pas, n'est-ce pas ?

— Non, assura-t-elle, les larmes aux yeux devant le sourire lumineux qui éclaira son petit visage.

— Tu veux que je t'appelle maman ?

— Cela n'a pas d'importance, mon chéri, tant que...

Mais elle s'interrompit, refusant d'aller plus loin dans les explications, au risque de semer la confusion dans l'esprit de Nicky.

— ... tant que tu sais combien je t'aime, acheva-t-elle en lui donnant un baiser.

— Je t'aime aussi, Lex... maman ! corrigea-t-il.

Ils descendirent en riant, trouvant Andros attablé à l'ombre sur la terrasse inférieure. Il se leva à leur approche, tira un fauteuil pour Alex et mit de côté le courrier qu'il était occupé à lire.

— Lui avez-vous dit ? lança-t-il comme une accusation.

Alex inspira profondément et feignit d'ignorer de quoi il parlait.

— Oui, j'ai expliqué à Nicky que vous aviez eu la gentillesse de nous inviter à passer quelques jours de vacances.

Son sarcasme n'échappa pas au jeune homme. Il lui lança un regard noir.

— Ce n'était pas là ma question. Néanmoins, Miss Saunders, vous y avez répondu.

Miss Saunders savait exactement de quoi il parlait : il ne croyait pas qu'elle avait dévoilé son identité à Nicky. Il est vrai que l'enfant ne manifestait aucune joie particulière à se voir brusquement affublé d'un oncle.

— Nicky, demanda-t-elle doucement. Pourquoi ne demandes-tu pas à ton oncle de te parler de l'île ?

Le garçon lança un regard hésitant en direction de Kontos puis d'Alex.

— Je n'ai pas envie.

Andros eut une expression proche de la souffrance, puis il s'excusa platement.

— Pardonnez-moi, j'ai mal jugé la situation.

Satisfaite, la jeune femme tenta alors d'expliquer les réticences de Nicky.

— Il est timide avec les étrangers.

Kontos parut surpris, comme s'il se demandait à quel jeu elle jouait. Mais Alex elle-même l'ignorait.

— Théo vous a-t-il parlé de l'île ?

— Il en a parlé à Chris peu avant son départ, répondit-elle d'un ton négligent.

— Etaient-ils très bons amis, ce Chris et mon frère ?

Le mépris dissimulé derrière la question irrita Alex.

— Oui. Ils avaient certains intérêts en commun.

— Attention, Miss Saunders !

— A quoi ?

— L'enfant ne sera pas toujours là pour vous servir de bouclier.

Alex allait répondre, mais elle fut interrompue par le retour du chauffeur qui avait troqué sa veste contre un tablier de cuisinier. Il adressa un sourire à Nick qui le lui rendit timidement, puis à la jeune femme. Mais son sourire disparut quand Kontos se leva. Celui-ci commença alors à lui parler en grec, trop vite pour qu'Alex pût suivre la conversation. Avec un respect craintif, le jeune homme répondait brièvement par oui ou non. Brusquement, Andros passa à l'anglais.

— Je dois rentrer à Athènes pour régler notre petit problème. Dites à l'enfant de suivre Mario à la piscine. Je voudrais vous parler seule.

Alex hésita.

— Je peux y aller, Lex ? supplia Nicky.

— Si tu veux, mais attention de ne pas tomber à l'eau.

Aussitôt, Nicky se précipita vers le bassin, tandis qu'Andros Kontos aboyait à Mario l'ordre de suivre l'enfant.

— Il est aussi impulsif que Théo... ou que sa mère !

— En effet, certaines personnes ne cèdent jamais à leurs impulsions !

A nouveau gagné par la colère, Andros rétorqua sèchement :

— *Presque* jamais. Mais ce matin, les choses sont allées un peu vite, non ?

Il l'invitait à se montrer raisonnable. Mais elle n'avait aucune envie de coopérer.

— Je n'y suis pour rien. Ce n'est pas moi qui ai demandé à être enlevée... Mais peut-être consentirai-je à oublier si vous nous conduisez à l'aéroport, avec un peu d'argent.

Comme s'il n'avait rien entendu, il s'éloigna et regarda vers la piscine. Elle le suivit ; pendant quelques minutes, ils contemplèrent l'enfant qui agitait joyeusement les jambes dans l'eau. Mais quand Kontos se retourna vers Alex, tout le plaisir qu'elle pouvait tirer de ce spectacle s'évanouit.

— L'innocence outragée me paraît singulièrement déplacée dans le répertoire d'un maître chanteur, Miss Saunders.

— Comment... osez-vous ! éclata Alex, presque sans voix.

Dans un mouvement presque automatique, elle leva la main pour le frapper, mais cette fois il l'arrêta en plein vol.

— Votre talent s'améliore de minute en minute !

Désespérée, Alex tenta de libérer sa main de l'étau qui l'enserrait. Mais il lui saisit l'autre poignet en riant.

— Je ne vous conseille pas de recommencer. Mon léger vernis de civilisation risque de craquer !

Alex continuait de se débattre. Mais la lutte était vraiment trop inégale. Aveuglée par une rage impuissante, elle mordit violemment la main de Kontos.

Le rire du jeune homme mourut aussitôt sur un cri de surprise et de douleur. Pendant un moment, on n'entendit plus que le souffle saccadé de sa fureur. Puis il s'empara de ses épaules. Paralysée, sûre d'avoir mérité ce qui allait lui arriver, Alex ferma les yeux.

Les longs doigts d'Andros se refermèrent alors autour de son cou, la forçant à relever la tête. Il allait l'étrangler ! Elle cessait déjà de respirer... Mais ses narines captèrent un parfum de tabac et d'eau de toilette. Ouvrant les paupières, elle vit sa tête brune se pencher vers la sienne.

Ce fut un baiser brutal, dont la sauvagerie ne laissait aucune place au moindre sentiment. Il s'acheva sur son premier cri de terreur. Tremblante, le dos contre la balustrade où il l'avait poussée, Alex s'essuya la bouche du revers de la main, incapable de proférer un son cohérent.

Andros pouvait savourer sa victoire.

— La prochaine fois, Miss Saunders, prenez-moi au mot ! lança-t-il avant de tourner les talons.

5

— Il est grand ! observa Nicky, à brûle pourpoint, au cours du déjeuner.

— Qui ? marmonna Alex.

— Le monsieur !

Qui d'autre, en effet ! soupira la jeune femme.

— Je serai aussi grand, plus tard ?

— Si tu manges bien, oui, répondit-elle dans l'espoir de détourner son attention sur le repas.

Au cours de la matinée, l'intérêt de Nicky pour son nouvel oncle s'était singulièrement accru, et Alex doutait de pouvoir répondre à une question de plus sans hurler ou éclater en sanglots.

La peur avait maintenant cédé la place à un sentiment d'intense humiliation. Plusieurs heures après cette scène épouvantable, elle se demandait encore ce qu'elle aurait pu dire ou faire pour en changer l'issue.

Loin d'elle l'idée de se rétracter ! Kontos les avait bien kidnappés et elle s'estimait relativement innocente, malgré les quelques mensonges exigés par les circonstances. Comment pouvait-il prétendre qu'elle voulait le faire chanter ! N'avait-elle pas refusé de lui vendre Nicky ? Même les billets trouvés dans son portefeuille ne pouvaient justifier une telle accusation. Elle avait eu toutes les raisons de réagir à son sarcasme.

Oui, se répéta-t-elle, elle avait eu raison. Mais *la loi du plus fort est toujours la meilleure...* C'était avec la plus grande joie que Kontos avait redonné une nouvelle jeunesse au proverbe. Quelle brute !

Ce qu'elle ne pouvait justifier, pourtant, c'était sa propre violence. Elle se sentait coupable, maintenant...

— Terminé, Nicky ? demanda-t-elle, interrompant le cours de ses réflexions.

L'enfant repoussa son assiette.

— On retourne à la piscine, Lex ?

Elle hésita : Nicky ne savait pas nager, et il n'y avait pas de petit bain. Elle-même ne possédait pas de maillot.

— Il fait très chaud...

— S'il te plaît, Lex !

— C'est bon, céda la jeune femme.

Il supportait la chaleur beaucoup mieux qu'elle. Sa robe lui collait à la peau et une fine couche de sueur perlait à son front. Un plongeon dans la piscine eût été le bienvenu.

— C'est bien, ici, n'est-ce pas ? observa Nicky en agitant ses jambes dans l'eau.

— Oui, c'est très joli, acquiesça Alex, la mort dans l'âme.

— Tu crois que le monsieur sait nager ?

— Tu as changé d'avis, dit-elle en s'efforçant de ne pas trahir son irritation. Je croyais que tu ne l'aimais pas.

Il haussa les épaules.

— Je ne le connais pas encore... Mais tu avais raison.

— J'ai toujours raison, plaisanta-t-elle. De quoi parles-tu ?

— Il t'aime bien, expliqua-t-il comme si cela coulait de source.

— Qui ?

— Le monsieur, voyons !

Ne comprenait-elle donc rien ! Mais comment en était-il arrivé à cette conclusion ? C'était presque drôle.

— Il t'a embrassée, donc il t'aime !

Que répondre à cela sans détruire une aussi précieuse naïveté ? Qu'un baiser pût représenter une punition aurait largement dépassé l'entendement du petit garçon. Elle-même n'y avait jamais songé, jusqu'à ce jour...

— Oui, bien sûr, dit-elle comme si Andros Kontos était l'un de ses plus fervents admirateurs.

Elle sourit : il fallait à tout prix éviter de croiser le fer au-dessus de la tête de Nicky. Celui-ci recommença à agiter ses pieds dans l'eau.

— Je n'ai pas de maillot, regretta Alex. Sinon, nous aurions pu nous baigner.

— Je peux te prêter mon short.

La jeune femme s'esclaffa.

— Il serait un peu petit pour moi !

— Tu ne pourrais pas...

— Non, coupa-t-elle aussitôt.

Comme elle tournait la tête, leur ange gardien la gratifia d'un large sourire. Pas question, même pour Nicky, de se déshabiller devant lui !

— Pourquoi n'irais-tu pas lui demander s'il sait nager ? suggéra-t-elle, légèrement ironique.

— Je l'ai déjà fait.

Comment n'y avait-elle pas songé ! Nicky adorait l'eau et était prêt à tout pardonner au monsieur pour le droit de patauger dans sa piscine.

— Et il ne sait pas ?

— Je n'ai pas compris, il parle bizarrement.

Autrement dit, pas en anglais. Mais le peu de grec que possédait Alex ne lui permettait pas de formuler les phrases contournées dont elle avait besoin... Elle décida pourtant d'essayer.

Elle se leva et s'approcha du jeune chauffeur, suivie de Nicky.

— Pourriez-vous nager avec l'enfant ? demanda-t-elle dans un grec très approximatif.

L'homme haussa plusieurs fois les épaules.

— Il ne comprend pas, Lex.

Comme elle cherchait ses mots, le garde ne put réprimer un fou rire.

— ... ne comprend pas ! singea-t-il en souriant.

Alex soupira. Cela ressemblait bien à Kontos de la confier à la garde d'un homme à qui elle ne pouvait même pas adresser la parole !

Fort heureusement, celui-ci semblait vouloir coopérer.

— *Parliamo italiano ?*

Alex sursauta : c'était un miracle !

— Et vous ? répondit-elle en italien comme si ce n'était pas évident.

— Mes parents sont italiens, expliqua-t-il. Je m'appelle Mario Amborelli.

La jeune femme se demanda si la chaleur avait affecté ses capacités de raisonnement. Bien sûr ! Mario n'était pas un prénom grec !

Elle répéta donc sa question en italien, langue qu'elle parlait couramment pour l'avoir étudiée à l'Université. L'expression du jeune homme s'illumina.

— Où va-t-il ? demanda Nicky en le voyant s'éloigner de la maison.

— Devine ! Me chercher un bikini, pour que nous puissions nager.

— Youpi ! s'écria-t-il en ôtant son tee-shirt.

— Eh, pas si vite ! Attends qu'il soit revenu.

— C'est long, gémit-il.

— Patience ! Il vient de partir.

Mais Mario réapparut presque aussitôt, vêtu d'un maillot de bain, et tendit à Alex le bikini le plus sommaire qu'elle ait jamais vu.

Laissant Nicky avec lui, elle courut se changer. Une

fois de plus, elle se surprit à s'étudier devant le miroir. Souffrait-elle d'un accès de pudibonderie, ou bien le maillot était-il vraiment à la limite de l'indécence ? Un peu des deux, conclut-elle en couvrant du mieux qu'elle pût ses seins qui paraissaient plus généreux derrière ces deux triangles de tissu noir. Le costume était plutôt destiné aux bains de soleil qu'à la natation, mais elle n'avait guère le choix. Gardant sa chemise comme peignoir improvisé, elle regagna le bord du bassin.

Mario cessa rapidement de l'intimider. Elle surprit son regard avant de plonger : il baissa aussitôt les yeux ; lorsque enfin ils se hissèrent hors de l'eau, il attendit discrètement d'y être inviter pour s'installer près d'eux sur les chaises longues.

Peu à peu, la langue du jeune homme se délia. En moins d'une heure, Alex avait compris qu'elle ne pouvait compter sur son aide. Combien de fois n'avait-il pas répété avant chaque phrase : « M. Kontos dit que... » ? Sa mère, son beau-père grec et son demi-frère travaillaient tous pour Kontos, et malgré le respect proche de l'idolâtrie qu'il vouait à son patron, ce garçon sympathique ne semblait pas s'apercevoir qu'on lui avait assigé un rôle de geôlier. Au contraire, aimable et attentif, il leur servait des jus de fruits glacés ou installait un parasol pour qu'Alex ne soit pas incommodée par la chaleur. Un peu plus tard, il emporta Nicky, épuisé, à l'intérieur de la maison, pour sa sieste. Il montrait une telle déférence qu'Alex se demanda comment Andros lui avait présenté la situation.

Surpris par son ignorance au sujet de la famille Kontos, Mario ne s'était pas fait prier pour lui fournir quelques renseignements. De la tribu unie qu'elle avait imaginée, il ne restait en fait que le frère aîné de Théo. Le père avait trouvé la mort dans le même accident que son fils ; la mère ne leur avait survécu qu'un an à peine.

Alex n'avait plus qu'un seul ennemi, mais c'était un

adversaire de taille. Riche, puissant, cultivé, il possédait une chaîne d'hôtels qui s'étendait des îles Grecques jusqu'à la côte espagnole, et avait fait ses études à Oxford. Rien que ça !

La jeune femme se sentit d'abord écrasée, puis irritée contre elle-même. Kontos, lui, ne perdait certainement pas son temps à paresser au bord d'une piscine ! Elle devait agir. Mais comment… ?

Mario, après avoir couché l'enfant, revenait vers la piscine. Penchant la tête de côté, Alex lui adressa un sourire.

— Venez vous asseoir près de moi.

Comme le jeune homme s'exécutait, elle se glissa dans son rôle, sûre de pouvoir le manipuler à sa guise.

D'un mouvement lent et gracieux, elle s'allongea sur sa chaise longue en lui adressant un regard appuyé. Il eut l'effet escompté, le visage de Mario s'empourpra aussitôt.

— Quel âge avez-vous ?

— … Dix-neuf ans, avoua-t-il après une courte hésitation.

Elle devrait avoir honte ! Non seulement, il était son cadet de deux ans, mais il devait avoir aussi peu d'expérience. Au bout d'un long silence tendu, Mario osa la regarder.

— Vous êtes belle, signora…

— Merci.

Pauvre Mario ! Alex ne voulut pas le faire languir plus longtemps. Elle alla droit au but.

— J'aimerais me rendre au village le plus proche. A quelle distance se trouve-t-il ?

— Dix kilomètres. Mais nous n'avons pas de voiture et le signor Kontos dit que…

— Oui ?

— … que vous ne devez pas marcher au soleil. Vous

n'avez pas l'habitude. Le signor Kontos dit qu'il rentrera bientôt et qu'il vous conduira où vous voudrez.

Alex réussit à contenir sa rage impuissante et à rendre à Mario son sourire navré. Ce n'était pas sa faute s'il n'avait pas compris ce qui se tramait réellement dans cette maison. Sans rien ajouter, elle se leva et plongea dans la piscine.

D'où il était, Andros l'avait vue parler avec Mario, sur qui elle semblait exercer le même charme que sur l'enfant. Il n'avait pas songé qu'elle parlait un peu le grec... Mais son esprit tout entier était tendu par son effort pour mettre un peu d'ordre dans cette histoire...

Théo avait été un jeune homme plutôt indiscipliné. Leur père l'avait envoyé en Angleterre, où son nom et sa position sociale ne lui seraient d'aucune utilité pour courtiser les femmes et ainsi négliger ses études. Andros lui-même était allé à Oxford dix ans auparavant, pour les mêmes raisons, auxquelles s'ajoutait le prestige que son autodidacte de père attachait à la célèbre université anglaise. En réalité, son séjour ne l'avait pas empêché de jouir de l'atmosphère permissive qui régnait. Mais lui, Andros Kontos, n'aurait jamais consenti à partager cette fille... aucune fille, corrigea-t-il, irrité, avec un autre homme. Il avait trop d'orgueil.

Après son entrevue avec son avocat, Andros avait longuement réfléchi, évoquant le passé et les dernières vingt-quatre heures. Il s'était ainsi formé une image plus précise de la vie de Théo en Angleterre. Le tableau ne soulevait guère l'enthousiasme.

Lors de leur dernière entrevue, à son retour d'Angleterre, Théo l'avait prié d'intercéder en sa faveur auprès de leur père. Il ne voulait pas épouser sa cousine Helena ; il aimait une autre femme. Le jeune homme, que le caractère ombrageux de son père avait toujours intimidé, se sentait totalement impuissant et craignait de s'élever contre la volonté du vieux Kontos. Andros l'avait pourtant convaincu qu'il parviendrait mieux à se faire respecter en se défendant tout seul.

Que s'était-il passé lors de ce vol fatal qui les ramenait vers l'île ? Théo avait-il confirmé son intention d'épouser Alex Saunders ? Il y avait l'enfant, bien sûr, mais il était aussi amoureux d'elle... or il la partageait avec un autre homme !

Nul doute que cette petite Anglaise arrogante lui avait dicté ses termes ! Pourtant... la lettre de ce Chris donnait l'impression qu'il l'avait maltraitée...

Il la regarda faire demi-tour au bout du bassin, mais il n'était pas le seul spectateur : Mario, assis au bord de l'eau souriait largement dès qu'elle atteignait son côté et s'arrêtait pour reprendre son souffle. Andros fronça les sourcils : il semblait prendre à la lettre ses ordres de la surveiller de près ! Pourtant l'intérêt qu'Alex éveillait chez ce garçon aurait dû le satisfaire. Ne confirmait-il pas les soupçons de son avocat ?

Stéphanos avait patiemment écouté toute l'histoire et, fort de leur longue amitié, lui avait reproché d'avoir enlevé la jeune femme. Puis il en était venu aux choses pratiques.

Andros pouvait offrir une somme d'argent plus importante, en admettant que le premier refus d'Alex Saunders soit purement tactique. Il en doutait. Il pouvait aussi se tourner vers les tribunaux, mais il perdrait son procès, à moins de réunir assez d'éléments pour prouver qu'il fallait soustraire son neveu à l'influence de sa mère. Après tout, les circonstances voulaient qu'elle fût, elle, la victime d'un riche Grec.

Alex Saunders était pourtant loin d'évoquer une figure de victime ! Mais quand Stéphanos lui avait demandé comment elle était, il n'avait trouvé qu'un seul mot : indescriptible. Cette fille n'était qu'un tissu de contradictions, capable de passer de l'insolence la plus éhontée à l'innocence outragée.

Ils étaient finalement convenus d'engager un détective en Angleterre afin d'obtenir de plus amples renseignements sur son passé. En attendant, il devait se montrer prudent et la traiter en invitée. Tout en espérant remuer assez de boue pour satisfaire un tribunal grec.

Oui... la fascination qu'Alex exerçait sur Mario aurait dû le rejouir. Bientôt la jeune femme s'ennuierait dans sa prison dorée et si elle encourageait l'italien à se montrer plus direct...

Mais pourquoi cette seule idée lui donnait-elle la nausée ? Tout n'était pas si simple ! soupira-t-il en rentrant.

Le petit garçon s'était découvert dans son sommeil et ses bras étreignaient un nournours à la fourrure usée. Comme il paraissait frêle ! Une femme telle qu'Alex Saunders ne pouvait être une bonne mère ! Et pourtant, l'enfant l'adorait... encore une contradiction.

Comme il s'écartait, Nicky s'éveilla et posa les yeux sur lui.

— Où est Lex ?

— Elle est dehors, Nicholos, dans la piscine.

L'enfant se leva et le regarda avec curiosité.

— Lex m'appelle Nicky.

— Nicky, acquiesça l'homme. Et tu appelles toujours ta maman Lex ?

— Oui, c'est son nom : A-lex-an-dra.

C'était pourtant simple !

— Lex dit que vous êtes mon oncle, poursuivit le petit. Comment dois-je vous appeler ?

— Oncle Andros ? Ros, si tu veux.

Il sourit.

— Je regrette de t'avoir fait mal dans la voiture.

Nicky haussa les épaules.

— Lex dit que vous ne l'avez pas fait exprès et que vous ne recommencerez plus, déclara-t-il avec une foi inébranlable.

— Lex a raison, confirma Andros en se demandant à quel jeu jouait cette fille.

Il s'était attendu à voir l'hostilité de son neveu nourrie en son absence. Le mystère s'épaississait.

— Elle a toujours raison, affirma Nicky, parfaitement sérieux.

Puis il indiqua le paquet que l'homme avait posé devant lui.

— Qu'est-ce que c'est ?

— Un cadeau.

L'enfant ne fit pas un geste.

— Pour toi.

— Je n'ai pas le droit d'accepter de cadeaux d'un étranger, déclara Nicky partagé entre l'obéissance et la tentation.

— Je ne suis pas un étranger, je suis ton oncle.

— Oui, sourit l'enfant.

Le problème résolu, il prit le paquet. L'homme le regarda déchirer le papier avec excitation, tout en imaginant la réaction d'Alex. Quand Nicky sortit le délicat jouet de sa boîte son petit visage s'illumina. Andros n'avait pas l'intention de le gâter à l'avenir, il voulait seulement se faire pardonner son geste de ce matin et gagner quelques points...

Pour s'habiller, Nicky accepta l'aide de son oncle. Ensuite la main dans la sienne, il l'entraîna vers l'escalier, pressé de montrer son nouveau jouet.

Mario annonça son arrivée à Alex.

— Je vous avais dit qu'il ne tarderait pas !

Il tendit la main. Elle remarqua à peine le bras qui lui entoura la taille quand elle sortit de l'eau : ses yeux étaient fixés sur Andros, vêtu d'un costume sombre, et sur le petit garçon qui serrait son jouet contre sa poitrine.

— Tu as vu, Lex, comme c'est joli !

Oui, la maquette de yacht était ravissante, mais Alex craignait, si elle ouvrait la bouche, de ne pouvoir contenir sa fureur. Elle hocha seulement la tête, adressant à Kontos un regard flamboyant. Celui-ci le soutint quelques secondes, puis tendit ses clés de voiture à Mario avec l'ordre de disparaître jusqu'au soir.

— Comment marche-t-il ? s'enquit alors Nicky détournant l'attention de la jeune femme sur le bateau qui flottait déjà.

Il tenait à la main un petit tableau de bord. Incroyable ! Un modèle téléguidé ! Mais oui : un véritable jouet de milliardaire !

— Pourquoi n'interroges-tu pas ton généreux oncle ? suggéra-t-elle d'un ton acide.

Andros fronça les sourcils.

— Ce n'est pas ce que vous croyez...

Mais elle n'avait pas attendu sa réponse. Elle s'éloigna vers la haie qui entourait la piscine. A travers le feuillage épais, on apercevait une route qui descendait vers le village : aucune autre villa en vue, aucun sentier pour couper au plus court...

Derrière elle, une voix se fit l'écho de ses pensées.

— C'est très loin, trop loin pour emmener l'enfant.

— Je sais. Pourquoi croyez-vous que je sois restée ici ? A cause de... de votre chien de garde ? railla-t-elle en pivotant sur ses talons.

— Mario ? Non, concéda-t-il. Mais il me semble que vous tenez la situation en main. Vous parlez grec ?

— Pas beaucoup.

— Assez en tout cas.

Assez pour quoi ? Un instinct mystérieux la retint de lui avouer qu'elle connaissait l'italien. Elle tourna la tête vers Nicky : allongé sur le carrelage, il examinait le bateau qui virait d'un côté et d'autre selon qu'il manœuvrait le tableau de bord.

Elle surprit alors le regard de Kontos : difficile de dire qu'il la déshabillait, car son bikini laissait peu de place à l'imagination.

— Je... il ne m'appartient pas, balbutia-t-elle, soudain sur la défensive. C'est-à-dire... il est à vous ; enfin... je n'avais pas de maillot alors Mar... j'ai emprunté celui-ci.

— Vous pouvez le garder. Il vous va beaucoup mieux qu'à moi.

Ses yeux se posèrent un instant sur les rondeurs fermes de ses seins.

— Vous êtes ravissante, très tentante...

Alex n'eut aucun mal à deviner qui elle était supposée tenter. Certainement pas Kontos, avec son costume impeccable, parfaitement à l'aise malgré la chaleur écrasante.

— Inutile, marmonna-t-elle.

Comme il la regardait sans comprendre, elle ajouta :

— Vous surestimez mes charmes, monsieur Kontos. Mario avait pour mission de me surveiller, il l'a fait. Un point, c'est tout !

Comme elle passait devant lui, il lui saisit le bras.

— Je vous ai vus ! Pour une fille qui connaît peu de grec, vous communiquez facilement !

— Si vous voulez le savoir, nous parlions italien, avoua-t-elle.

— Vraiment ? Et de quoi ?

— Mario ne tarit pas sur son sujet favori.

— Lequel ?

— Vous !

Andros éclata de rire. Qu'il aille au diable ! Mais le regard noir de la jeune femme accrut encore son hilarité.

— Vous ne manquez pas d'esprit, Alex Saunders. Quel dommage que nous ne nous soyons pas rencontrés en d'autres circonstances.

— Pourquoi ? lança Alex qui tressaillit sous la caresse insolente de ses doigts sur sa joue.

— Pour rien !

Andros s'éloigna, la laissant deviner la réponse. Elle ne voyait vraiment pas dans quelles circonstances elle aurait aimé connaître cet homme, en dépit de toute sa richesse et de son charme... indéniable si l'on aimait les machos. Ce qui n'était pas le cas d'Alex ! Elle préférait... elle ignorait quoi au juste, mais certainement pas lui !

Néanmoins, elle l'observa du coin de l'œil quand il revint en maillot noir. Dévêtu, son corps possédait une grâce athlétique. Pourtant, la perfection de ses larges épaules musclées et de ses longues jambes fuselées eut pour effet de rallumer sa colère.

Il fallait qu'elle sorte d'ici ! se répéta-t-elle pour la centième fois, comme s'il s'agissait d'une formule magique capable de la transporter au village.

Et ensuite ? Il avait gardé l'argent et les billets du retour. Mais elle avait conservé son passeport ; en se présentant à l'Ambassade d'Angleterre à Athènes, elle pourrait se faire rapatrier par le gouvernement de Sa Gracieuse Majesté... Et ensuite ?

De retour à Londres, sans travail et sans logement, la boucle serait bouclée. A la lumière de sa promesse de ne jamais remettre Nicky à l'orphelinat, Alex avait envie de croire qu'il était plus heureux ici.

— Où allez-vous ?

L'appel d'Andros interrompit le cours de ses pensées. Elle se retourna à mi-chemin vers l'escalier et le vit se hisser hors de l'eau.

— Je dois laver des vêtements, dit-elle au hasard. Nous n'en avons pas beaucoup.

— Si vous m'indiquez la taille du garçon, j'en achèterai demain, offrit-il. Et vous...

— Non, merci, coupa-t-elle, mettant fin à l'examen auquel il soumettait sa silhouette.

— Pourquoi pas ?

Il devait plaisanter !

— Comment dit-on, déjà ? « Méfiez-vous des Grecs qui viennent les bras chargés de cadeaux. »

— Vous n'avez rien compris, protesta-t-il. J'ai offert ce jouet à Nicky pour me faire pardonner.

Décidément, le soleil l'affectait curieusement. Voilà qu'il se justifiait ! Devant elle !

— Alex ?

Cette fois, elle ne se retourna pas et atteignit la chambre juste au moment où ses larmes commençaient à couler. Elle se jeta sur le lit. Pourquoi n'achèterait-il pas de cadeaux à Nicky ? Alex connaissait sa véritable objection : Andros Kontos avait de l'argent ; elle n'en aurait jamais, jamais ! Qu'il aille au diable !

6

Grâce à la présence de Nicky, le dîner devint rapidement très animé. Toute sa timidité à l'égard d'Andros avait disparu et il posait question sur question au sujet de l'île où avait vécu la famille Kontos. Alex vit enfin avec soulagement ses paupières commencer à s'alourdir.

Pendant qu'Oncle Ros l'emportait dans ses bras jusqu'à son lit, la jeune femme desservit et prépara le café. Comment Andros l'aimait-il ? Elle prit du lait, de la crème, du sucre et déposa le tout sur un plateau. Ayant trouvé un lave-vaisselle, elle y rangea les couverts et mit l'appareil en marche puis gagna la terrasse.

Elle trouva Andros à table, fumant une cigarette, les yeux fixés sur la mer. Le crépuscule tombait lentement, et l'air avait gardé une tiédeur agréable. Le jeune homme se leva à son approche et lui prit le plateau des mains.

Après avoir servi le café, il lui offrit une cigarette. Alex aurait préféré refuser, mais elle avait besoin de la détente que lui procurerait le tabac. Comme il lui donnait du feu, le comique de la situation lui apparut brusquement : kidnappeur... mais gentleman ! Ou peut-être cherchait-il à endormir sa méfiance ?

Kontos brisa le silence en demandant si elle désirait une autre tasse de café.

— Non, merci, murmura-t-elle avec l'immédiate impression d'avoir mordu à l'hameçon.

Aussi s'éclaircit-elle la gorge.

— Il n'est pas nécessaire de jouer la comédie, au moins quand nous sommes seuls.

Andros leva la tête.

— Je ne vous comprends pas, Miss Saunders.

— Mario est convaincu que je suis venue ici de mon propre gré et j'ai dû confirmer cette impression à Nicky. Si nous en restions là ?

— Pourquoi pas ? acquiesça-t-il. Peut-être aurais-je pu vous parler directement et éviter ainsi d'aller voir mon avocat.

Voilà donc ce qui l'avait retenu cet après-midi ! Le problème ne semblait pas résolu. Serait-il à cette table, avec elle, s'il avait eu la certitude d'obtenir la garde de Nicky ?

— Je vous ai déjà parlé ce matin.

Le jeune homme hocha la tête, insondable.

— Assez violemment, oui.

Etait-ce le hasard s'il avait levé, pour fumer, la main qu'elle avait mordue ? Horrifiée, elle vit la marque laissée par ses dents.

— Je regrette, commença-t-elle, je ne voulais pas...

Mais elle ne put achever sa phrase.

— Quoi ? souffla-t-il, moqueur.

Pour toute réponse il reçut un regard aussi sauvage que la morsure.

— J'essaie de considérer les choses raisonnablement.

— Moi aussi, je regrette ma conduite... enfin, en partie. Vous m'aviez provoqué.

— Et maintenant ?

— Je suis prêt à prendre votre avis en considération.

Alex n'osait croire au miracle.

— Vraiment ?

Le jeune homme s'excusa et revint au bout de

quelques secondes avec un papier de forme rectangulaire. Avant même de le lire, Alex avait deviné de quoi il s'agissait, mais ses yeux s'arrondirent de stupeur devant le chiffre. Elle leva les yeux : Andros était à l'affût de sa réaction.

— Que faites-vous ?

C'était pourtant évident : lorsque le chèque eut la forme désirée, elle visa en direction de la colline. L'avion de papier voleta doucement puis plongea vers le fond de la vallée.

Quel beau coup de théâtre ! Mais on n'était pas au théâtre ! Andros lui saisit le poignet et l'entraîna avec force dans le salon où il la jeta violemment sur le canapé.

— Ne bougez pas, cria-t-il comme elle faisait mine de se lever. Et pour une fois, taisez-vous !

Elle referma la bouche, et, pour une fois, obéit. Mais elle n'avait guère le choix, car il la dominait de toute sa hauteur. Un long moment, ils se mesurèrent du regard, attendant l'instant où l'autre fléchirait. Sûre de son bon droit, Alex n'avait pas l'intention de céder. C'est pourtant ce qu'elle fit, écrasée par la lueur métallique qui brillait dans les yeux noirs.

— Alex... ne m'obligez pas à vous faire mal...

Le jeune homme s'éloigna vers le bar où il s'affaira un instant.

Et maintenant ? s'interrogea Alex en silence. Elle avait eu peur, et il le savait. Au bout de cinq longues minutes, il posa un verre devant elle et se laissa tomber dans un fauteuil. Lorsqu'elle eut le courage de le regarder, elle s'aperçut qu'il l'observait intensément.

— Expliquez-moi, dit-il enfin.

Quoi ? Alex n'en avait pas la moindre idée.

— Je ne comprends pas, murmura-t-elle.

— Parfait ! Je vais donc vous rappeler certains faits : votre ami Chris écrit à Théo pour lui demander de s'occuper de Nick. A sa mort, vous placez l'enfant dans une institution. Quand vous recevez ma réponse, croyant qu'elle provient de Théo, vous venez en Grèce avec l'enfant. Hier, vous acceptez mon argent, mais ce matin, vous tentez de vous enfuir. Prise sur le fait, vous exigez d'être reconduite à l'aéroport, avec de l'argent. Ce soir, je vous propose une somme plus importante, et vous vous moquez de moi. Eh bien, Miss Saunders ?

Il attendit, observant les émotions contradictoires qui se lisaient sur le visage de la jeune fille. La confusion d'Andros était bien naturelle, elle-même ne savait pas comment les choses en étaient arrivées là. Mais, sûre qu'il essayait une tactique nouvelle, Alex resta sur ses gardes.

— C'est vous qui m'avez amenée ici, lui rappela-t-elle, c'est donc moi qui attends une explication.

— Vous refusez de coopérer ? Très bien : il n'est pas dans l'intérêt de l'enfant d'être brutalement séparé de sa mère et je n'ai pas l'intention de céder mes droits sur lui ; il ne nous reste plus qu'à nous entendre sur un compromis...

Alex roula sur le dos. Comme cinq jours auparavant, elle n'avait pas tiré les rideaux, et la lumière vive du soleil inondait la pièce. Ouvrant les yeux, elle se laissa d'abord baigner dans le bien-être que procure une chambre claire et confortable. Puis, inquiète, elle se dressa sur son séant. Elle s'habituait dangereusement à cette nouvelle vie ! Mais aujourd'hui, pour le pire ou le meilleur, tout allait changer, et elle se secouerait enfin de cette léthargie qui prenait lentement possession d'elle.

Comment avait-elle accepté ce compromis ? Abasourdie par sa proposition, elle n'avait même rien répondu. Et aujourd'hui ils quittaient la villa pour se rendre dans la maison de famille des Kontos, située sur une île rocheuse à six kilomètres au large de la côte.

Pourquoi ne l'avait-elle pas envoyé au diable quand il avait souligné que sans argent elle n'avait pas le choix ? Parce que la seule chose raisonnable était d'accepter. Elle jouerait le jeu... jusqu'à ce que les hostilités reprennent.

Et ensuite ?

On frappa un coup léger à la porte. C'était Nicky. L'enfant avait maintenant l'habitude de respecter son intimité. Consciemment ou non, il imitait les manières irréprochables de son oncle. Elle alla ouvrir.

— Bonjour, mon chéri ! dit-elle joyeusement en lui donnant un baiser affectueux.

Nicky n'était pas seul.

— Ton petit déjeuner ! déclara fièrement l'enfant.

En effet, l'homme avait les bras chargés d'un plateau.

— Je suis debout depuis des heures, mais Oncle Ros m'a interdit de te dér... de te réveiller.

— Trois quarts d'heure, corrigea Andros. Bonjour, Miss Saunders.

— Bonjour.

Alex tendit les bras, embarrassée par sa chemise trop légère.

— Merci.

— Tout le plaisir est pour moi.

Levant la tête, elle comprit toute l'étendue de son « plaisir » : il fixait avec une admiration non dissimulée, la courbe d'un sein à demi découvert. Alex se sentit bouillir et lui arracha le plateau des mains.

— Prenez votre temps, susurra-t-il. Nous ne partons que cet après-midi.

Puis il disparut avec Nicky dans le couloir.

Elle n'y comprenait décidément plus rien : pas une seconde elle ne pouvait croire qu'il lui avait monté le petit déjeuner pour la surprendre au lever. En revanche, elle imaginait fort bien que la femme à qui appartenait le bikini noir et la culotte de soie trouvé dans un tiroir de sa chambre apportait son petit déjeuner à son seigneur et maître tandis que celui-ci se reposait au lit, après une nuit de...

Allons, son imagination galopait. Pourquoi ne pas manger sans chercher de motivations cachées à ses moindres gestes ? Mieux valait les mettre au compte de son esprit dérangé et s'en accommoder pendant la courte période que durerait leur contrat.

Quand Nicky revint, il la trouva prête. Il était intarissable sur une île qu'il n'avait jamais vue que dans ses rêves. Pour rendre justice à Andros, celui-ci n'avait pas encouragé l'insatiable curiosité de Nicky, ne répondant à ses questions que de la façon la plus pratique, comme si le voyage à Armina était seulement destiné à lui fournir les informations qu'il désirait.

Mario lui avait appris que sa mère et son beau-père demeuraient sur la petite île et entretenaient la maison, mais que leur maître y séjournait rarement.

— Et mon bateau? interrogea Nicky quand la deuxième valise fut bouclée.

— Nous le remettrons dans sa boîte pour le transporter, promit-elle.

Depuis, l'enfant n'avait pas reçu d'autres cadeaux, excepté un paquet de vêtements neufs qu'Alex avait trouvé la veille sur son lit. Elle caressa du doigt un tee-shirt en éponge rayée bleu et blanc ; exactement ce qu'elle aurait choisi.

— Nicky, viens te changer avant de redescendre.

— Je vais me salir, si je mets ça ! répondit-il gravement. Et Oncle Ros sera furieux.

— Mais non ! fit Alex en lui ôtant son vieux polo. Il ne dira rien, ce ne sont que des vêtements.

Ils étaient beaux et élégants. Ils métamorphosèrent aussitôt le gamin des rues en un ravissant petit prince.

— Il m'a fait mettre les vieux, s'obstina Nicky.

— Il voulait que ce soit moi qui choisisse, expliqua-t-elle, perplexe.

Une fois en bas, Nicky s'installa devant une table avec un album de coloriages tandis qu'elle gagnait la cuisine. C'était ainsi depuis le premier soir : il préparait les repas et elle rangeait ensuite. Pour un homme riche, il menait une vie simple. A un certain moment, elle avait songé à proposer de renverser les rôles. Quelle folie ! Il cuisinait bien mieux qu'elle. Elle finit par se contenter de sa modeste participation.

Alex allait quitter la cuisine lorsqu'elle vit les clefs près du percolateur. Même sans le logo Mercedes, elle les aurait reconnues immédiatement. Andros avait dû les laisser là en préparant le petit déjeuner.

— Quelle imprudence...

Pourtant un soupçon l'effleura : l'imprudence était bien son moindre défaut.

Prenant les clefs, elle ouvrit la porte qui donnait sur la grille et la route. Non content d'avoir laissé le portail grand ouvert, il avait garé la longue limousine tout contre...

Alex contourna alors le balcon en contenant sa fureur du mieux qu'elle put. Andros évoluait dans l'eau, marquant une pause entre chaque longueur, la tête levée et l'oreille tendue.

Le piège était décidément trop gros !

La jeune femme descendit les quelques marches, fonça vers la piscine et attendit qu'il soit parvenu à sa hauteur. Comme il rejetait ses cheveux mouillés d'un mouvement de tête, elle lui adressa un sourire mielleux qui provoqua visiblement son étonnement. A l'instant où il s'apprêtait à sortir de l'eau, elle tendit la main, la paume tournée vers le ciel.

— Vos clefs !

Son sourire s'effaça. Elle lança le trousseau dans l'eau au beau milieu du bassin et tourna les talons.

La colère et l'impatience s'entrechoquaient dans son esprit quand elle entendit un coup sourd frappé à sa porte. Elle ne répondit pas. La porte s'ouvrit et se referma sans bruit. Du coin de l'œil, elle reconnut Andros, très élégant en pantalon et en tee-shirt bleus, mais elle continua à faire ses bagages comme s'il n'existait pas.

Le jeune homme resta appuyé au battant, observant ses gestes sans mot dire. Au bout d'un moment, il s'approcha et s'immobilisa derrière elle.

— C'est bon, je regrette.

Alex n'en croyait pas un mot.

— Je n'en doute pas, dit-elle en jetant une dernière blouse dans sa valise, sans lui accorder un regard. Vous auriez pu laisser d'autres appâts plus subtils : un portefeuille gonflé ou une carte avec la route d'Athènes tracée en rouge !

Andros la fit pivoter, mais il n'y avait pas trace de colère sur son visage.

— Vous êtes furieuse parce que je vous ai prise pour une idiote ?

— Vous avez deviné. Mais sachez que je me moque éperdument de savoir si vous me faites confiance.

— Je ne suis pas si présomptueux.

Son ton nonchalant lui déplaisait souverainement. Baissant les yeux, elle tenta de se dégager.

— Ne vous énervez pas ! lui conseilla-t-il doucement tout en lui serrant plus fort les épaules.

Mais il évitait de lui faire mal, comme s'il ne voulait que la tenir en respect, le temps que sa colère retombe.

— Il me fallait être sûr de vous. Sur l'île, je ne pourrai pas vous surveiller, et vous êtes si imprévisible... Pardonnez-moi, mes méthodes ne sont guère raffinées. Or vous êtes une fille si intelligente, Alex Saunders !

— Pas assez, soupira-t-elle, exaspérée.

Il la lâcha pour fermer sa valise. Ne cesserait-il donc pas de l'étonner ? Son dernier mouvement de colère l'avait laissé indifférent... Elle ne put s'empêcher de sourire en l'imaginant plongeant au fond de la piscine pour récupérer les clefs.

— Peut-être espériez-vous me voir partir seule, lança-t-elle comme il prenait ses bagages.

Andros lui adressa un regard vide d'expression qui l'encouragea à aller plus loin.

— Ou bien m'auriez-vous fait arrêtez pour vol ?

Le jeune homme se retourna avec un sourire.

— Croyez-le ou pas, je n'y avais pas songé.

— Je ne le crois pas !

— Dans ce cas, railla-t-il, pourquoi aurais-je mis le moteur hors d'état de démarrer ?

Elle n'aurait eu aucune chance de s'enfuir ! Cet homme était un véritable démon !

— Très fort ! marmonna-t-elle en lui rendant son sourire. Mais vous auriez pu vous éviter cette peine.

— Je suppose qu'il est inutile de vous demander pourquoi ?

Inutile en effet : Alex avait de toute façon l'intention de le lui dire. Elle fit quelques pas vers lui, ouvrit la porte et sortit dans le couloir.

— Je ne sais pas conduire.

La plaisanterie se retournait finalement contre lui, mais son rire lui parvint quand elle atteignit l'escalier. C'était un vrai rire, un rire généreux. Maudit soit-il !

7

Andros observait Alex du coin de l'œil : ses yeux brillaient, comme ceux de Nicky et, comme lui, elle poussa un cri de plaisir lorsqu'il accéléra et que le bateau se mit à filer vers l'île, laissant un sillon blanc sur son passage. Pour lui, l'expérience n'était pas nouvelle, mais leur joie devint communicative et il se surprit à la prolonger en décrivant une large boucle à l'approche du ponton. Le vent soulevait les longues mèches dorées de la jeune femme : une fois encore il fut frappé par sa beauté...

Immobile au bout de la jetée, Alex considéra la maison sans enthousiasme.

— Elle ne vous plaît pas ?

— Elle est très... imposante.

— Les plans sont l'œuvre d'un architecte suisse, expliqua Andros.

Etait-ce un certificat de qualité ? Quoi qu'il en soit, l'immense demeure, plantée dans un décor magnifique était hideuse, d'un style bâtard, avec son entrée à colonnades, ses arcades à l'espagnole, ses grandes baies à la française et son toit d'ardoises plates.

— Mon père l'aimait beaucoup, dit Andros d'un ton nostalgique.

— Elle n'est pas laide, se reprit aussitôt la jeune femme, mais je n'ai pas l'habitude et...

— Et ?

— Elle est différente, enfin... intéressante.

Le rire d'Andros l'interrompit.

— Le mot que vous cherchez, Miss Saunders, est : grotesque.

Elle répondit par un regard froid. Nicky choisit cet instant pour faire entendre sa voix fluette.

— Pourquoi est-ce que vous n'appelez pas Lex par son prénom ?

— Pourquoi pas ? sourit Andros.

Puis, à l'adresse de la jeune femme :

— Vous permettez ?

Refuser eût été absurde. Mais ce mot à lui seul ne résumait-il pas toute la situation ?

— Si vous voulez.

— Et vous m'appellerez Andros ?

Pourquoi cette timidité soudaine ? Evitant son regard, Alex marmonna.

— Oui, si vous voulez.

A son grand soulagement, l'attention d'Andros fut détournée par un homme en bleu qui descendait les marches du perron. Il le salua avec chaleur puis le présenta à Alex. Spiro Kallides était le beau-père de Mario. Elle ne comprit que quelques mots à ses paroles de bienvenue mais y répondit avec un sourire aimable.

Une fois à l'intérieur, elle dut déployer un immense effort pour ne pas prendre la main de Nicky et détaler. Rien ne laissait prévoir un si grand nombre de domestiques. Tous ces visages nouveaux la considéraient avec curiosité. Comment Andros allait-il leur expliquer sa présence et celle de Nicky ? Elle décida d'attendre qu'ils soient seuls pour l'interroger.

Le jeune homme leur fit faire le tour du propriétaire : l'intérieur de la maison témoignait d'un goût et d'une élégance sans défaut. Malgré l'impression d'abandon qui y régnait, il était facile d'imaginer toutes ces pièces réchauffées par l'affection et les rires d'une famille heureuse.

— C'était le jardin secret de ma mère, expliqua Andros. Mon père a bâti la demeure de ses rêves dans ce style hybride qu'il aimait tant, mais elle en a fait un véritable foyer.

— C'est très beau, acquiesça Alex tandis qu'ils gravissaient l'escalier vers l'étage supérieur.

Andros la conduisit à une chambre spacieuse, tendue de satin et au sol recouvert d'une moquette blanche. Celle de Nicky, attenante, était parfaite pour un petit garçon. En le préparant à sa sieste, elle se demanda qui avait fabriqué le mobile composé de maquettes d'avions, ou qui avait joué avec le ballon de football, les gants de boxe et les autres jouets rangés sur les étagères. Théo, sans doute ; elle ne pouvait imaginer que son frère eût jamais été un enfant.

Un peu plus tard, dans le grand salon, elle fut bien obligée d'admettre le contraire. Il était là, parmi les nombreuses photos de famille qui décoraient un buffet, grave, vêtu d'un costume de marin et ressemblant étonnamment à Nicky quand il était sérieux.

— C'est la première fois que vous me souriez, dit Kontos en se matérialisant à son côté.

La jeune femme sursauta et reposa aussitôt le cadre doré.

— Boirez-vous quelque chose ? interrogea-t-il.

— Volontiers, un citron pressé, répondit-elle en continuant à regarder les photos.

Quand il revint avec le verre, Kontos ne s'éloigna pas tout de suite.

— Nicky aime-t-il sa chambre ?

— Oui, beaucoup. Etait-ce la vôtre ou celle de Théo ?

— Celle de Théo. J'ai grandi à Athènes jusqu'à ce que mon père soit assez riche pour racheter l'île.

— Racheter l'île ?

— Elle appartenait à la famille de ma mère. Mais la première maison a été détruite pendant la guerre. Par la suite c'est l'île qui a été vendue.

— Je suppose qu'elle a été bombardée par les Allemands ?

— Non, répondit Andros avec un sourire, les Anglais. Les Nazis l'avaient confisquée, ainsi que la ligne maritime de mon grand-père. Quand ma mère a épousé mon père malgré l'opposition de sa famille, il a fait le serment de récupérer l'île. Pour faire plaisir à sa femme, ou se prouver quelque chose à lui-même, je l'ignore.

— Pourquoi s'opposait-on à leur mariage ?

Alex examina la photo du vieux Kontos. Ses traits sévères laissaient deviner une personnalité aussi arrogante que celle de son fils.

— A l'époque, ses biens se résumaient à la moitié d'un restaurant et quelques grandes idées.

Alex marqua sa surprise.

— Mario m'a dit que vous possédiez toute une chaîne d'hôtels.

— Mon père manquait peut-être de goût, mais il avait le sens des affaires. Quand je suis rentré d'Oxford, la tête farcie de théories financières, il a fait la grimace et m'a déclaré en avoir appris davantage en observant les opérations de marché noir pendant la guerre. J'ai passé dix années à essayer de lui prouver que je pouvais faire aussi bien que lui.

— Avez-vous réussi ?

Il haussa les épaules.

— Nous nous sommes étendus au reste de l'Europe quand le marché des voyages organisés en était à ses balbutiements. Nous avons eu de la chance. Mon père voulait prendre sa retraite au retour de Théo. Il ne vous a jamais rien dit ?

— Non. Je savais seulement que son père possédait un restaurant à Athènes, répondit-elle, ignorant si c'était la curiosité ou la méfiance qui lui avait inspiré sa question.

Son regard se posa sur la photographie de son beau-frère. Pourquoi n'avait-il rien confié à Chris ?

— Peut-être voulait-il être aimé pour lui-même ? observa Kontos.

— Peut-être, répondit-elle, laconique.

— En était-il ainsi ? interrogea-t-il, montrant pour la première fois un quelconque intérêt pour ses sentiments à l'égard de son frère.

Mais son cynisme ne lui échappa pas. Elle examina une autre photo, un portrait de Théo aux côtés d'une jeune fille brune.

— Voulez-vous savoir qui elle est ?

— Je suis sûre que vous allez me le dire.

— Elle s'appelle Helena. C'est une cousine éloignée et... l'ex-fiancée de Théo.

Cherchait-il à la culpabiliser ? Théo n'avait jamais évoqué aucun engagement, mais elle n'oubliait pas avec quelle force il critiquait les mariages de raison.

— Elle est très jolie ! fit-elle devinant que Kontos attendait une réponse acerbe.

— Mais elle ne pourrait rivaliser avec vous ! accusa-t-il.

— Vraiment ? Il n'est pas difficile de deviner laquelle de nous deux vous auriez préféré comme belle-sœur.

Andros hocha la tête.

— Vous n'étiez pas faite pour Théo. Il lui fallait une femme douce, mais assez forte pour compenser sa faiblesse. Et surtout quelqu'un qui croie en lui. Est-ce votre portrait ?

— Non, s'entendit-elle admettre.

Mais c'était celui de sa sœur, Chris.

— Il ne devait pas davantage vous convenir.

— Et selon vous, gronda-t-elle, quel genre d'homme me conviendrait ?

— Un homme dont vous ne risqueriez pas de mépriser la faiblesse, répondit-il en lui rendant son regard flamboyant, qui ne tolérerait pas votre insolence ni vos sautes d'humeur ; un homme qui vous rendrait votre gifle si vous aviez l'impudence de lever la main sur lui, acheva-t-il, comme s'il lisait dans ses pensées.

— Vous, en d'autres termes ?

— Si vous voulez.

Comme il franchissait la courte distance qui les séparait, elle regretta d'avoir répondu à la provocation.

— Non !

— Non ?

— Non ! explosa-t-elle en s'éloignant pour dissimuler la couleur qui envahissait ses joues.

Un peu plus tard, dans le splendide isolement de sa salle de bains, Alex balançait ses jambes comme pour rythmer le temps. Nick explorait l'île en compagnie de son oncle et elle était trop agitée pour dormir. Otant ses sandales, elle plongea les pieds dans l'épaisseur de la moquette. Que faire à présent ?

Son regard se posa sur le petit coin de placard où ses vêtements occupaient une place minuscule, puis elle surprit son propre reflet dans la glace : il lui confirma ce qu'elle savait déjà : au milieu d'un tel luxe, elle n'avait pas sa place et jamais, jamais, elle ne la trouverait !

Nicky au contraire, marqué des signes particuliers des Kontos, était déjà accepté comme tel par toute la maisonnée. Quel était son rôle dans tout cela ? Alex avait beau s'efforcer de raisonner avec objectivité, l'issue lui paraissait bloquée.

Elle ne pouvait rester ici indéfiniment... Kontos lui-même n'avait laissé aucun doute là-dessus. Mais comment lui dire la vérité sans donner l'impression d'avoir perdu la tête ou sans éveiller des soupçons ? Elle n'accordait guère à Andros Kontos des qualités de confiance ou de générosité !

Comme le soir approchait, la jeune femme les regarda gravir les marches qui conduisaient à la maison. Nicky l'avait aperçue sur le balcon. Elle leva la main pour répondre à son salut.

— Tu aurais dû venir, Lex ! cria-t-il.

Elle s'efforça de sourire, mais elle luttait contre une vague de désespoir : déjà, elle avait le sentiment de le perdre, même alors qu'il courait la rejoindre.

Son regard se posa sur l'homme : il lui souriait comme s'il avait oublié qui elle était. Elle soupira. Tout était plus simple quand on reconnaissait le méchant à son chapeau noir et à son perpétuel rictus, quand il n'avait pas cette expression et ce regard qui l'entraînaient parfois à regretter que d'autres circonstances ne les aient réunis...

Quelle folie ! Alex se reprocha de laisser courir son imagination et rentra précipitamment dans sa chambre.

Les jours passèrent, trois, quatre... quinze, sans qu'Alex ait trouvé le courage de parler à Andros. Pourtant, les occasions ne manquaient pas : il quittait la maison tous les matins, mais rentrait régulièrement à cinq heures. Nicky avait pris l'habitude d'attendre son retour au bout de la jetée. Craignant qu'il ne tombe à l'eau, Alex lui tenait compagnie jusqu'à l'apparition du petit bateau, puis elle regagnait la maison. Elle aurait pu lui parler pendant les repas, mais comment engager une conversation au-dessus d'une table de quatre mètres de long ?

Une fois ou deux, comme elle avait osé prononcer le nom de Théo devant lui, Kontos avait réagi violemment, lui faisant comprendre qu'il ne désirait pas entendre parler de ses relations avec son frère. Pourtant, sur des sujets plus neutres, la musique, le théâtre, la politique, la conversation se déroulait souvent avec une aisance naturelle, presque amicale. Il écoutait son point de vue, amusé par ses traits d'humour, et exprimait parfois des critiques justifiées.

Mais si leurs relations s'amélioraient, elle le soupçonnait d'être à l'affût d'un rebondissement quelconque. Cela devenait une obsession : s'il cherchait de nouvelles armes pour lui arracher la garde de Nicky, pourquoi l'empêchait-il d'évoquer jusqu'au nom de Théo ou celui de Chris ? Parce qu'il supposait qu'elle mentait ? Ou bien avait-il envoyé quelqu'un à Londres pour effectuer une enquête ?

Combien de temps dureraient les recherches ? Très peu s'il s'adressait directement aux services sociaux. Plus, si l'enquêteur suivait leurs traces dans tous les appartements qu'elles avaient occupés pendant deux ans.

Elle pouvait aussi se tromper. Les regards parfois coupables de Kontos lui donnaient l'espoir qu'une confession jouerait en sa faveur.

Une chose était sûre pourtant : quand elle partirait, elle partirait seule. Son amour pour Nicky n'avait pas diminué et l'affection de l'enfant à son égard n'avait pas faibli parce qu'il aimait son oncle. Mais son séjour sur l'île, avec le temps dont elle disposait pour réfléchir, lui avait permis de faire la part de l'amour et des nécessités.

Nicky n'avait plus à demander s'il resterait ici. Pour rien au monde, elle ne lui ferait quitter la Grèce. Il s'épanouissait au soleil de la Méditerranée, reprenait des couleurs, jouait avec le demi-frère de Mario, un garçon de huit ans, sur cette terre qui lui appartiendrait un jour. Qu'irait-il faire entre quatre murs humides dans une rue sordide de Londres ?

Et elle ? Ici, elle n'avait pas sa place. Il lui fallait

maintenant, très vite, donner à Andros l'exacte version des faits, en espérant qu'il comprendrait pourquoi elle avait menti et qu'il la laisserait revoir l'enfant de temps à autre.

Le sentiment qu'éprouvait Andros Kontos après sa première lecture hâtive du rapport était fort éloigné de la commisération. Au contraire, assis dans le bureau de Stéphanos, il bouillonnait de rage.

Il le relut une seconde fois en s'efforçant de trouver une explication à l'histoire invraisemblable que la jeune femme lui avait racontée.

Ce fut Stéphanos qui rompit le silence.

— Eh bien ?

— Comédienne ! Menteuse effrontée !

— Je n'aime pas votre façon de sourire, Andros, murmura l'avocat. Nous devons maintenant porter l'affaire devant les tribunaux.

— Non, répondit Andros qui n'écoutait qu'à demi les paroles de son interlocuteur.

— Ecoutez, Andros, nous obtiendrons la garde sans le moindre problème. Vous devriez être content !

— Non !

— C'est bien ce que je craignais.

D'ordinaire, Andros était le plus raisonnable des hommes, mais à cet instant précis, Stéphanos ignorait ce qui se passait dans sa tête.

— Si vous ne voulez pas porter l'affaire devant un tribunal, montrez-lui ce rapport. Faites-lui comprendre qu'à liens de parenté identiques, elle n'a aucune chance contre vous.

— Parfait. Et ensuite ?

— Si elle veut plus d'argent, vous n'aurez aucun mal à satisfaire ses exigences, en réduisant la somme, naturellement.

Andros secoua lentement la tête.

— Alex Saunders a une attitude curieusement désinvolte à l'égard de l'argent.

Stéphanos demeura perplexe.

— Pas de procès, pas d'argent... Quoi d'autre alors ?

— Je réfléchirai.

Andros se leva et conclut l'entretien par une vigoureuse poignée de main. L'avocat jeta alors une dernière carte.

— Vous dites que cette fille est très intelligente. Avez-vous songé qu'elle pouvait chercher à mettre la main sur un mari grec et... fortuné ?

Quand le rire rauque d'Andros se fut calmé, Stéphanos pencha la tête : à quel jeu jouait-il donc... ?

— Je répète : bonsoir.

Brusquement ramenée au moment présent, Alex leva la tête et rougit.

— Bonsoir, répondit-elle d'une voix tremblante.

C'étaient les premières paroles qu'ils échangeaient depuis son retour d'Athènes.

— Avez-vous passé une bonne journée ? interrogea Andros avec sa courtoisie habituelle.

— Oui, excellente...

En réalité, elle avait laissé les heures s'écouler en se demandant avec anxiété combien de temps cette attente durerait encore, et s'il avait déjà découvert la vérité.

— Vous n'aimez pas les huîtres ?

La voix rauque d'Andros interrompit à nouveau le cours de ses pensées.

— Si... Elles sont excellentes.

Elle n'avait pas touché à son assiette. Confuse, elle lâcha sa fourchette, dans sa hâte de corriger son étourderie.

— Laissez ! commanda Andros avec une pointe d'irritation. Qu'est-ce qui ne va pas, Alex ?

Elle s'obligea à le regarder.

— Rien, je vais...

— Je sais : vous allez très bien, acheva-t-il à sa place.

— Parfaitement, répliqua-t-elle dans l'espoir de mettre fin à la conversation.

Elle baissa les yeux sur son assiette, mais Kontos ne se découragea pas.

— Vous êtes bien silencieuse.

Comme il n'obtenait pas de réponse, il poursuivit.

— Croyez-le ou non, votre bavardage me manque.

— Je ne bavarde pas ! s'écria Alex mordant inconsciemment à l'hameçon.

— Votre conversation, si vous préférez. Mon anglais me fait parfois défaut, s'excusa-t-il avec un accent soudain plus prononcé.

Son anglais était d'une perfection à hurler !

— Si vous voulez le savoir, hésita-t-elle, la distance inhibe mon inclination au... bavardage !

— C'est tout naturel !

Alex baissa la tête, soulagée, mais la releva aussitôt.

— Que faites-vous ? s'exclama-t-elle stupéfaite.

Avec la rapidité de l'éclair, il s'était matérialisé à son côté.

— Cela me paraît évident ! dit-il en prenant son couvert et en le déposant devant une chaise, près de lui.

— Je ne voulais pas...

Alex se mordit la lèvre : ou bien elle ne bougeait pas et se ridiculisait en donnant une importance démesurée à une démarche insignifiante, ou bien elle changeait de place.

Elle changea de place.

Andros l'aida à s'asseoir et reprit son fauteuil.

— Est-ce mieux ainsi ? s'enquit-il avec un sourire irrésistible.

« C'est pire ! Pire que jamais ! » gémit Alex pour elle-même.

— Oui, c'est parfait.

— Une table comme celle-ci était destinée à une

grande famille. Elle est bien trop vaste pour deux personnes. Je voulais suggérer ce... changement depuis longtemps !

Comme il remplissait son verre, une tension intolérable s'empara d'Alex.

— J'espère que vous n'êtes plus aussi inhibée, observa-t-il au bout de plusieurs secondes de silence.

Sans plus réfléchir, elle se mit à penser tout haut.

— Que vont dire les domestiques ?

— A quel sujet ?

— ... en nous voyant assis l'un près de l'autre.

— Que voulez-vous qu'ils disent ?

— Ils pourraient se faire des idées !

— Parce que nous sommes assis côte à côte ! répéta-t-il soulignant encore l'absurdité de ses paroles. Lesquelles par exemple ?

Alex commençait à regretter d'avoir ouvert la bouche.

— Je ne sais pas, répondit-elle évasive. Peu importe.

Elle avait baissé la tête et sursauta quand la main d'Andros se posa sur la sienne.

— Calmez-vous ! murmura-t-il en resserrant son étreinte pour l'empêcher de se dégager.

— Je suis parfaitement calme !

— Vraiment ?

Du pouce, il lui caressait l'intérieur du poignet. A ce contact, elle sentit son cœur s'emballer.

— Alex, vous êtes toute bouleversée, j'exige...

Mais il s'interrompit pour reprendre aussitôt :

— J'aimerais savoir pourquoi.

— Je voulais vous dire, ou plutôt, je *dois* vous dire... il faut que... Lucia ! s'exclama-t-elle à l'arrivée soudaine de la cuisinière.

En dégageant sa main, elle renversa son verre.

— Oh, pardon !

Le vin se répandit en une grosse tache sombre sur le lin blanc.

— Je suis désolée, répéta-t-elle en italien à l'adresse de Lucia.

Celle-ci épongeait déjà le liquide avant qu'il ne coule sur les genoux d'Alex. Comme elle lui adressait un sourire maternel, la jeune femme eut l'impression d'être une enfant prise en faute, écrasée par l'irritation croissante d'Andros.

— Très bien, que se passe-t-il ici ? éclata celui-ci dès qu'ils furent seuls.

Le changement de ton était radical. Une fois encore, Alex avait laissé échapper l'occasion de lui parler.

— Alex !

— Rien du tout !

— Vous renversez votre verre...

— Je me suis excusée.

— Vous réagissez comme si vous aviez commis un crime, Lucia me regarde comme si c'était moi le coupable, et il ne se passe rien ? Que lui avez-vous raconté derrière mon dos ?

— Mais rien ! explosa-t-elle. Suis-je en position de dire la moindre chose à vos domestiques ?

— Qu'est-ce que cela signifie ?

— Oh, trouvez vous-même ! siffla-t-elle en reculant sa chaise.

— Asseyez-vous ! cria-t-il en lui saisissant le poignet.

Alex serra les dents.

— Vous me faites mal.

— Alors asseyez-vous !

Sans lui laisser le temps d'obéir, il l'obligea à retomber sur sa chaise. Leurs regards se mesurèrent. Dans l'expression d'Alex, l'orgueil le disputait à la colère. Au bout d'un moment, Andros lâcha son étreinte, mais lentement, une fois sûr qu'elle ne bougerait pas.

— Et que devrais-je dire à mes domestiques ?

— La vérité !

Il lui lança un regard oblique.

— Les faits parlent d'eux-mêmes : Nicky ressemble à un Kontos et vous êtes sa mère. Que voulez-vous ajouter d'autre ?

— L'intrigue se tient, cependant il y a erreur sur le héros. « Et l'héroïne ». Mais elle n'osa achever à voix haute.

— Je vois.

Il ne voyait rien du tout !

— Ils pourraient croire que vous et moi... que vous... que...

Les mots s'étranglaient dans sa gorge.

— ... que vous êtes le père de Nicky.

Elle attendit sa réaction.

— Je n'y avais pas songé, dit-il en portant son verre à ses lèvres.

— Vous n'y avez pas songé ? répéta-t-elle. C'est tout ce que vous trouvez à dire ?

— Quoi d'autre ?

— Vous ne comprenez donc pas ! Ils vont croire que vous et moi...

— ... avons été amants ? acheva-t-il à sa place. Malgré vos efforts pour éviter d'appeler un chat un chat, je suis parfaitement capable de remonter jusqu'à la conception de Nicky.

— Et dans l'autre sens ?

— Ils croiront que nous *sommes* amants, corrigea-t-il froidement.

Alex secoua la tête.

— Qu'allez-vous faire ?

— Que voulez-vous que je fasse ?

— Je ne sais pas, s'écria-t-elle. Autre chose que de rester assis à boire du vin ! Cela ne vous gêne pas ?

— Moins que vous, dit-il en se carrant dans son

fauteuil. Je n'éprouve aucune honte à savoir que je passe pour le père de Nicky. Et vous?

— Et moi?

Dans l'esprit de la jeune femme la confusion était à son comble.

— Avez-vous honte d'être... la mère de Nicky?

Dieu! Dans quel piège s'était-elle laissé entraîner!

— Ce n'est pas le problème! supplia-t-elle.

— Ainsi donc les domestiques pourraient croire que nous sommes amants...

Il eut un rire railleur et l'enveloppa du regard.

— Excepté les vêtements, ils connaîtraient bien mes goûts.

— Eh bien, moi, je trouve cette idée que vous et moi... je la trouve humiliante!

— C'est ce que j'ai cru comprendre.

Son sourire s'était brusquement effacé pour laisser place à un masque impassible.

— Vous devez absolument leur dire qu'ils se trompent.

Ses yeux s'assombrirent.

— Vous n'avez aucun ordre à me donner!

Puis, la bouche tordue par le mépris, il poursuivit :

— Quant à défendre votre vertu, Miss Saunders, ne croyez-vous pas qu'il soit un peu tard?

C'en était trop! Sans même répliquer, Alex se leva et quitta la pièce. Heurtant Lucia au passage, elle marmonna une excuse et s'enfuit, tandis qu'Andros lui hurlait l'ordre de revenir et de s'expliquer.

Mais elle se précipita vers les marches creusées dans le roc, qui descendaient vers la mer. Rien dans sa conduite passée ne pouvait justifier qu'elle se sentît à ce point souillée par ses propos. Et pourtant...

Une fois sur la plage, elle se mit à courir au bord de l'eau, laissant sa tête s'emplir des bruits de la mer et de la nuit. Elle courut longtemps. Enfin, épuisée et à bout de souffle, elle s'effondra sur le sable, prit ses genoux entre ses bras et fixa le flux et le reflux des vagues jusqu'à sombrer dans un état quasi-hypnotique.

Mais il ne suffisait pas de fuir la maison pour échapper à Kontos. Celui-ci l'avait rejointe en suivant ses traces sur le rivage baigné de lune et s'arrêta à quelques mètres à peine.

— Pourquoi êtes-vous partie ?

Alex ne tourna pas la tête, mais ses épaules se voûtèrent.

— Vous pleurez ?

— Non... non, je ne pleure pas, nia-t-elle en essuyant ses joues humides.

Elle se redressa.

— Je voulais rester seule un moment.

Comme s'il n'avait rien entendu, Kontos demeura immobile, n'osant ni approcher, ni faire un geste, de peur de l'effaroucher. Tous deux s'abîmèrent dans la contemplation des flots argentés par la lune et, cette fois, le silence n'était pas chargé d'hostilité.

Les vagues venaient se briser doucement sur le sable fin avec le même soupir, répété inlassablement. Alex se sentit possédée par la magie de la nuit...

Avant qu'elle pût protester, Andros ôta sa veste et lui en couvrit les épaules. La chaleur de son corps se communiqua à elle. Il lui prit la main et l'entraîna avec lui le long du rivage. Sans parler, ils revinrent lentement sur leurs pas. Quand ils furent en vue de la maison, Andros se tourna vers Alex et ramena les bords de sa veste en un geste protecteur.

— Si c'est important pour vous, je ferai en sorte que les domestiques sachent que nous ne sommes pas amants.

— Je ne comprends pas...

— J'ai voulu vous faire mal, murmura-t-il en glissant les mains sur ses épaules délicates.

— Non... protesta-t-elle d'une voix faible, presque haletante.

Mais ses doigts se refermèrent autour de son cou.

— Je ne recommencerai pas, promit-il.

Alex avait déjà reconnu la flamme sombre qui brillait au fond de son regard : elle ne promettait rien de cruel. Désespérée, elle posa la main sur son bras.

— Trouvez-vous vraiment humiliant... de passer pour ma maîtresse ?

C'était le sentiment qu'elle aurait dû éprouver. Pourtant, une étrange excitation s'était emparée de ses sens, et, au lieu de se révolter, elle se surprit à imaginer...

Mais, s'étant brusquement ressaisie, elle voulut se dégager.

— Comprenez-moi, implora-t-elle. Vous êtes riche, et vous représentez le meilleur des partis. Moi, qui suis si totalement hors de votre monde, je dois apparaître comme une petite chercheuse d'or.

Il allait l'interrompre, mais elle se hâta de poursuivre :

— Voilà ce que je trouve dégradant. Ne le prenez pas pour une attaque personnelle.

— Je suis heureux de vous l'entendre dire.

— Maintenant, lâchez-moi.

— Pas encore ! Je ne vous fais pas mal ?

Comme s'il ignorait la réponse ! Ses doigts décrivaient des caresses lentes et expertes sur sa gorge...

— Andros, je vous en prie...

— Quoi, Alex ?

Il se moquait tendrement du vertige qui la grisait à son contact. Mais ce fut assez pour enflammer l'orgueil de la jeune femme.

— Cessez de jouer ! cria-t-elle en se libérant violemment.

Comme il s'élançait à sa poursuite, elle recommença à courir, à toutes forces, sans regarder devant elle. Mais au bout de dix mètres à peine, un faux pas la jeta sur le sol. En se retournant, elle fit face à son bourreau qui, sans aucune douceur cette fois, la plaqua sur le lit de sable fin. Elle tenta de se libérer à coups de pieds, mais le corps de Kontos pesait sur le sien de tout son poids. Il s'empara de ses mains et les cloua au sol, au-dessus de sa tête.

Elle ne voulait pas céder et continua à se tordre et à lutter jusqu'à ce qu'épuisée elle fût obligée de se soumettre.

Alors seulement, il desserra un peu son étreinte. Il attendit que son souffle ait repris un rythme normal et que, dans son regard, la fureur ait cédé la place à la peur.

Glissant alors les doigts sous son menton, il l'empêcha de détourner la tête.

— Et si ce n'était pas un jeu ?

Malgré son expérience limitée, elle savait reconnaître la fièvre que sa résistance avait suscitée en lui. Mais elle ne s'expliquait pas pourquoi sa peur s'était soudain transformée en une sensation à la fois vague, aiguë et irrésistible.

Lentement, la tête sombre se pencha vers la sienne. Elle sentit le souffle tiède de ses lèvres d'homme, et ses dernières réticences fondirent comme neige au soleil.

Dans son premier baiser, il y avait plus de don que d'exigeance. Sa bouche quitta la sienne pour tracer un sillon brûlant jusque dans son cou. Et quand il lâcha son bras pour la tenir plus étroitement contre lui, elle avait déjà oublié pourquoi elle lui avait résisté. Il ne voulait pas lui faire mal, il voulait seulement...

Le cours de ses pensées s'arrêta là : la main du jeune homme s'était refermée sur son sein et, en un mouvement délicieusement sensuel il en caressa le bourgeon qui se dressa aussitôt. Un faible gémissement s'échappa de ses lèvres et elle enfouit ses doigts dans les boucles épaisses de sa chevelure noire.

Les lèvres d'Andros suivirent alors le même chemin, et la caressèrent jusqu'à ce que, soulevé par le désir qui l'agitait, le corps d'Alex s'arque contre le sien en un appel inconscient.

D'un mouvement souple, il la repoussa vers le sol et s'empara à nouveau de ses lèvres. Cette fois son baiser se fit si âpre, si exigeant et si avide que l'excitation qu'éprouvait la jeune femme se transforma brusquement en panique.

Elle enfonça ses ongles dans la chair de son dos. Sans doute Kontos avait-il mal interprété sa réaction, car sa passion redoubla. Mais quand il glissa la main sur son ventre pour dégrafer la ceinture de son jean et qu'elle réussit enfin à crier, plus aucun doute n'était permis.

Comme possédé, Kontos continuait pourtant ses caresses, cherchant à la persuader dans son langage rauque et ses mots incompréhensibles...

Elle se mit à trembler. Peut-être croyait-il qu'elle l'avait entraîné jusque-là... Mortifiée, elle allait s'abandonner au châtiment qu'elle méritait...

Mais il leva la tête et vit les larmes ruisseler sur le satin de ses joues.

— Dis que tu as envie de moi, Alex. Dis-le ! implora-t-il avec une espèce d'irritation, tandis que son corps s'écrasait contre le sien.

Elle ne répondit rien. Il n'y avait rien à dire. Elle avait eu envie de lui, et une douleur sourde au creux de son ventre prouvait qu'elle le désirait encore. Pourtant Kontos parut lire la supplique muette dans son regard traqué : incrédule, elle le vit se redresser et s'assoir face à la mer. Au bout d'un moment, il pencha la tête vers elle et maugréa :

— Alex, pour l'amour du ciel, couvrez-vous !

Mais il ne put s'arracher au spectacle de ses seins magnifiques encore exposés.

Toujours sous le choc, elle agrafa les boutons de sa blouse avec des gestes rendus maladroits par la hâte, tandis qu'à son grand désarroi, ses pleurs redoublaient. Il s'approcha. Elle s'écarta, secouée de sanglots. Mais il se contenta de lui couvrir les épaules de sa veste, puis s'éloigna à nouveau.

— Cessez de pleurer, commanda-t-il.

Devant ses larmes, il se sentait coupable, comme s'il avait vraiment cédé à l'impulsion qui avait été la sienne, une fraction de seconde, et qu'il l'avait vraiment possédée... Il savait avec certitude qu'Alex ne jouait pas la comédie. Se sentant de trop, il rebroussa chemin vers la maison.

Arrivé sous le porche, il attendit, dans l'ombre, que la jeune femme remonte à son tour. Elle passa devant lui, si près qu'elle n'avait pu l'ignorer. Ses yeux humides trahissaient un mystérieux tourment. Puis elle disparut, engloutie dans l'obscurité.

Une fois de plus, il la maudit, mais cette fois, il y avait du désespoir dans son imprécation.

8

Un sixième sens souffla à Andros de ne pas quitter l'île le lendemain matin.

Du haut de son balcon, il la vit sortir par une porte de service, mais lutta contre l'envie de la suivre. Même si elle avait été seule, sans Nicky, qu'aurait-il pu lui dire ? Qu'il regrettait de l'avoir fait pleurer ? Une part de lui-même regrettait plus encore d'avoir tenu compte de ses larmes. Qu'il ne la toucherait plus ? Mais il se savait incapable de tenir sa promesse s'il la sentait une fois de plus, comme hier, prête à répondre à son désir.

Il attendit donc. Quoi exactement, il l'ignorait. Quand Alex et Nicky eurent atteint l'extrémité de la jetée, le garçon sauta dans l'un des bateaux, tandis que la jeune femme restait sur les planches de bois, abîmée dans la contemplation de la mer. S'imaginait-elle loin d'ici... ?

Au bout d'une demi-heure, las de jouer avec les instruments de bord, Nicky remonta sur la jetée. A l'appel d'Alex il s'approcha et s'assit à son côté. Elle se tourna alors vers lui, le visage grave.

Tandis qu'elle lui parlait, les réponses de Nicky devenaient de plus en plus brèves jusqu'à se résumer à de simples hochements de tête. Emu, Andros esquissa un sourire.

Mais soudain, il se figea : la petite silhouette s'était relevée et remontait en courant vers la maison. Andros l'intercepta au sommet de l'escalier : son visage ruisselait de larmes. Il le porta jusque dans sa chambre, puis, ayant envoyé une domestique alertée par le bruit chercher Lucia, il courut à la salle de bains chercher l'inhalateur dont l'enfant pourrait avoir besoin.

Quand il regagna le lit, Nicky gémissait faiblement, la tête enfouie dans son oreiller.

— Qu'y a-t-il, Nicky ?

Sans le regarder, le garçon marmonna d'une voix étouffée :

— ... partir.

Andros le prit alors dans ses bras.

— Ne t'inquiète pas, je vais tout arranger.

Nicky écarquilla les yeux. Il voulait à toutes forces croire en cette détermination qu'il lisait dans le regard de son oncle, mais il ne put réprimer un nouveau sanglot.

— Je... il ne faut pas...

— Ne t'inquiète pas, répéta Andros. Qu'a-t-elle dit ?

L'enfant cessa de pleurer, mais tergiversa.

— Je ne dois pas en parler avant...

Andros réussit à contenir un mouvement d'impatience et adopta une autre approche.

— Tu ne veux pas partir, c'est bien cela ?

L'expression de Nicky trahissait le plus total désarroi.

— Non, mais si Lex ne reste pas... Lex dit que...

— Que dit-elle ? l'encouragea-t-il avec une grande douceur.

Comme l'enfant ne répondait pas, il n'hésita pas à mentir.

— Je ne lui avouerai pas que tu m'as parlé. C'est promis.

Nicky avait envie de se confier à son oncle. Malgré sa sévérité, il commençait à s'attacher à lui. Mais il aimait

Alex davantage et sentait confusément qu'en faisant plaisir à l'un il ne faisait pas forcément plaisir à l'autre. Finalement, avec l'égocentrisme des enfants, il décida de *se* faire plaisir.

— Elle dit qu'elle ne veut pas rester ici... elle doit rentrer à Londres... Elle n'aime pas cette maison, avoua Nicky d'une voix hachée.

C'était là son interprétation, et sa version abrégée, du discours qu'Alex avait soigneusement préparé.

— Fais qu'elle l'aime, oncle Ros, implora-t-il.

La mâchoire d'Andros se contracta.

— Je vois.

Sa réponse laissait Nicky désemparé.

— Tu me promets ? insista-t-il en tirant sur sa manche.

Andros hocha la tête.

— Oui.

Si Alex Saunders croyait pouvoir partir avec l'enfant, elle se trompait ! Quand Lucia apparut sur le seuil, il écarta Nicky et lui souleva le menton :

— Tu ne pleures plus ?

— Non. Je ne pleure jamais, oncle Ros. Demande à Alex.

Andros passa la main dans ses boucles brunes. Le laissant avec la gouvernante, il partit à la recherche d'Alex qu'il trouva dans le salon, lovée dans un coin du canapé.

Il s'annonça en claquant la porte derrière lui. Elle leva vivement la tête et marqua sa surprise :

— Je... vous n'êtes pas au bureau ?

La réponse claqua sèche :

— Non.

La jeune femme haussa les épaules.

— Vous n'êtes jamais là à pareille heure, d'habitude.

Dépliant ses jambes, elle fit mine de se lever, mais il l'arrêta.

— Où allez-vous ?
— Voir Nicky.
— Il est dans sa chambre. Je viens de lui parler.
— Oh !
Andros attendit la suite, mais rien ne vint.
— Quand avez-vous l'intention de partir ? cingla-t-il.
— Demain, sans doute. Mais j'allais vous le dire.
Le calme de la jeune femme le désarçonna un moment, puis il explosa :
— Demain ! A quel jeu jouez-vous à présent, Alex Saunders !
— Je ne joue pas ! Et vous pouvez garder votre argent. Mon billet d'avion suffira.
— Ah, vous vous en allez ! cria-t-il en lui saisissant les épaules. Si vous croyez pouvoir quitter la Grèce avec l'enfant...
— Vous ne comprenez pas, coupa Alex.
Comme s'il n'avait rien entendu, Andros poursuivit avec véhémence :
— Quelles que soient les raisons égoïstes pour lesquelles vous refusez toutes mes offres, Nicky veut rester ici, avec moi !
— Je sais, Nicky adore cet endroit et...
— Vous savez ! Et vous voulez le renvoyer à la vie sordide qu'il connaissait à Londres ?
— Allez-vous m'écouter ! hurla soudain la jeune femme. J'ai demandé à Nicky de me laisser vous parler, mais... Peu importe, vous vous trompez, c'est moi qui pars. Pas lui !
Pendant une longue minute, Andros observa un silence pétrifié.
— Vous n'emmenez pas l'enfant ?
Alex hocha la tête.
— Je ne vous crois pas !
— Vous verrez...

Son regard se posa sur les mains qui lui tenaient les épaules.

— Maintenant lâchez-moi. Sinon je pourrais croire que vous voulez que je reste !

Bouillonnant de rage, il resserra son étreinte. La jeune femme se mordit la lèvre. Au comble de l'exaspération, il la repoussa et s'éloigna.

Alex tourna alors la tête vers la fenêtre. Là-bas, au loin, la vue étincelait... Son esprit, déjà, était ailleurs, loin de la Grèce...

Au bout d'un moment, Andros se rapprocha. Pour une raison mystérieuse, il trouvait cette idée intolérable.

— Et l'enfant, gronda-t-il. Allez-vous l'abandonner ? Votre affection, n'était-ce donc qu'une comédie ?

— Nicky connaît mes sentiments, répondit-elle, les dents serrées.

— Vraiment ? Moi pas !

— Ils ne vous concernent pas ! répliqua-t-elle sèchement.

Comme il la regardait en silence, elle sentit fondre sa belle assurance.

— Je lui ai tout expliqué. Il veut rester. Je ne peux pas. Il comprend.

— Pas assez, apparemment, cingla Andros. Oh, il m'a dit que vous n'aimiez pas cet endroit, mais entre deux sanglots dus à votre départ.

Elle tourna vivement la tête.

— Où est-il ?

— Que vous importe !

A ce point, Andros eut le sentiment de commettre une injustice.

— Allez au diable, Andros Kontos ! N'avez-vous pas obtenu ce que vous désiriez ? Cherchez-vous à me punir parce que je n'ai pas...

Mais elle ne put finir.

— Ce que je désire ? Comment savez-vous ce que je désire ?

Ses yeux se posèrent sur la courbe de sa poitrine, remontant vivement à son front, comme s'il voulait oublier l'incident de la nuit dernière. Alex profita de ce moment d'hésitation pour prendre le chemin de la porte, mais il s'interposa.

— Non, Miss Saunders, vous ne vous en tirerez pas ainsi ! J'ai un neveu, là-haut, qui vous aime et qui attend une explication !

Sans lui laisser le temps de répondre, il l'entraîna avec force dans le couloir, puis dans l'escalier et jusque dans la chambre de Nicky.

Une fois à l'intérieur, il renvoya Lucia. A la vue de l'enfant sur son lit, étreignant convulsivement son ours en peluche, le cœur d'Alex se serra. Elle croyait qu'il avait accepté… Il n'avait pas dit grand-chose, pourtant il semblait avoir compris qu'elle ne l'abandonnait pas, qu'elle ne cherchait pas à se débarrasser de lui, qu'elle le laissait entre les mains de son oncle, parce que son père était mort…

Mais son petit visage pâle et mouillé de larmes exprimait dans toute leur nudité les sentiments qu'il avait préféré garder au fond de lui pour ne pas l'inquiéter. Quand il leva la tête et appela son nom de sa petite voix fluette et brisée, ce fut comme si un barrage cédait en elle : elle lui ouvrit les bras, et il s'y précipita, enfouit la tête contre son cou et, accroché à elle comme à sa seule planche de salut, il recommença à pleurer, secoué de pauvres sanglots gémissants.

— Oh, Nicky, arrête, implora-t-elle en s'efforçant de ravaler ses propres larmes.

— Ne me quitte pas, Lex ! Tu as promis de ne jamais me quitter.

— Je sais, mon chéri, je sais…

Tout en essayant de calmer ses pleurs, elle cherchait ses mots... Et cet homme qui les écoutait !

— Je ne pars pas vraiment, tu sais. Je rentre à Londres pour quelque temps. Et comme tu aimes bien cette maison, il vaut mieux que tu restes avec oncle Ros. Tu comprends, Nicky ?

Pour toute réponse, elle reçut un long gémissement désespéré. Elle se tourna alors vers Andros.

— Aidez-moi ! souffla-t-elle.

— Je regrette, Alex, mais, comme Nicky, je ne comprends pas votre conduite.

— Vous savez bien que je ne peux pas rester, implora-t-elle.

— Et si je vous le demandais ?

Il avait plongé son regard dans le sien. Toute sa colère était retombée, et l'air s'était chargé d'une qualité étrange, indéfinissable...

L'enfant, étranglé par les larmes, se mit à tousser. Alors, doucement, Andros répondit à l'appel muet de ses yeux.

— Ne pleure pas, Nicky, dit-il fermement. Je t'ai dit que j'arrangerais tout.

— Oui...

Nicky déglutit et attendit, comme si son oncle était sur le point d'accomplir l'impossible miracle.

— Tu préfères rentrer à Londres avec ta... mère, plutôt que de rester ici sans elle, n'est-ce pas ?

Le petit garçon hocha faiblement la tête. Au même instant, Alex éleva la voix pour protester.

— Que faites-vous ?

Mais Andros poursuivit du même ton ferme et assuré.

— C'est donc elle qui décidera, d'accord ?

— Oui, d'accord, répondit l'enfant avec un sérieux identique.

Deux paires d'yeux se tournèrent alors vers Alex, ceux de Nicky chargés d'espoir et ceux d'Andros... Se pouvait-il qu'il éprouvât le même sentiment ? Non, ce devait être un effet de l'éclairage ou peut-être une illusion plus insidieuse, comme celle d'hier soir.

Mais déjà, il avait tous les atouts dans son jeu. Même s'il lui en avait laissé le choix, elle ne pouvait emmener Nicky loin d'ici. C'était un coup monté, un risque parfaitement calculé.

Il lui faudrait donc rester tant que Nicky aurait besoin d'elle. Peut-être jusqu'à ce qu'il soit en âge d'aller à l'école. Alors sa présence cesserait de lui être nécessaire.

Et elle, que voulait-elle ?

Pendant quelques secondes, assaillie de sentiments contradictoires, elle lutta pour ne pas perdre pied : comment ignorer ses émotions de la veille ? Comment leur accorder la moindre réalité ? Se pouvait-il qu'elle soit attirée par cet homme ? Allons donc : elle avait été abusée par des clichés de roman-photo : la lune, pleine et dorée, les vagues qui venaient mourir sur le rivage... Par pure curiosité, elle avait voulu connaître l'étendue du pouvoir des caresses... Oui, tout s'expliquait... Mais cela ne se reproduirait plus !

— Très bien, Nicky, je reste... encore un peu, mais...

La fin de sa phrase se perdit dans une étreinte violente. Par-dessus l'épaule de Nicky, elle rencontra le regard d'Andros, intense, insondable.

— Vous n'auriez pas dû faire cela, murmura-t-elle. Je veux vous parler, seul.

— Plus tard.

Détournant alors la tête, il quitta la pièce. Mais Alex était déterminée à mettre les choses au point, au plus vite.

La journée s'écoula lentement. Nicky suivit Alex comme son ombre, et Andros, resté sur l'île, mena ses affaires au téléphone, dans son bureau.

La jeune femme avait décidé de lui parler au cours du dîner, une fois Nicky couché. Mais l'heure approchant, une violente agitation s'était emparée d'elle. En pénétrant dans la salle à manger, elle vit avec irritation que Lucia avait posé son couvert au bout de la table et qu'Andros était déjà installé à l'autre extrémité. Elle dut résister à l'impulsion de pivoter sur ses talons pour lui montrer qu'elle n'avait même aucune envie de goûter à sa nourriture.

Mais il s'était levé et lui reculait déjà son fauteuil. Plus séduisant que jamais, il portait un costume sombre à la coupe impeccable qui ne parvenait pas à dissimuler sa sensualité virile. Le cœur d'Alex cessa de battre une fraction de seconde, et une autre encore quand elle vit son regard intense fixé sur elle.

Détournant la tête, elle s'assit, brusquement irritée et déterminée à mener la conversation selon le cours qu'elle avait prévu.

Dès qu'ils furent servis et qu'on les laissa seuls, Alex ouvrit la bouche pour parler, mais les mots s'étranglèrent dans sa gorge : Andros l'enveloppait du regard, impassible, nullement embarrassé d'être surpris à la contempler. Le souvenir des sensations de la nuit dernière assaillit aussitôt la jeune femme ; troublée, elle baissa la tête.

Le silence dura jusqu'à la fin du repas et, cette fois, il n'essaya pas de pénétrer l'intimité de ses pensées. Il pouvait s'en dispenser : n'était-il pas la source même de sa confusion, la raison pour laquelle, dès son réveil, elle n'avait plus songé qu'à fuir ?

En toute honnêteté, elle avait cru que Nicky pourrait supporter leur séparation. La certitude qu'il s'adapterait sans mal à sa nouvelle vie lui avait donné la force de prendre une décision. Mais Andros avait tout détruit par son intervention.

Un peu plus tard, le dîner achevé, on servit le café dans le salon. Alex n'hésita plus.

— Vous espériez que je choisirais de rentrer à Londres sans emmener Nicky, n'est-ce pas ?

Le jeune homme marqua sa surprise.

— Pourquoi croyez-vous cela ?

— Cela me paraît évident ! répliqua-t-elle.

Mais, pour ne pas réveiller les hostilités, elle reprit d'un ton plus calme.

— Ce n'est guère agréable de vivre avec une étrangère sous son toit.

— Non ? Pourtant, malgré ce qui nous sépare, j'avais l'impression que nous nous entendions bien, jusqu'à hier.

Trop bien !

— Peut-être avez-vous laissé courir votre imagination, monsieur Kontos.

Le rire du jeune homme fusa.

— Soyez sans crainte, Alex. Je n'ai pas cru un seul instant que vous cherchiez à me séduire. J'ai agi selon mon propre désir et, ajouterai-je, sans me préoccuper du vôtre.

Alex rougit, déconcertée par sa franchise.

— Etait-ce un test ?

— Un test ! Est-ce ainsi que vous avez considéré cela... au début ?

Quand elle avait accepté ses caresses ? Comment n'avait-il pas deviné qu'elles l'avaient conduite au-delà de tout raisonnement logique, avant qu'il ne l'effraie par la violence de son désir ?

Pour sauver la face elle fut tentée de répondre oui.

— Je préférerais oublier cet incident.

— C'est vous qui avez abordé le sujet, observa-t-il.

— Eh bien, maintenant, je l'abandonne !

— Pas si vite ! Je tiens à préciser certaines choses : je ne voudrais surtout pas susciter votre inquiétude.

Alex évita son regard.

— Rassurez-vous, ce n'est pas le cas.

— Selon vous, j'aimerais même vous voir abandonner Nicky. Vous vous trompez : il a besoin de vous. Et puisque vous avez choisi de rester, je n'en profiterai pas pour m'imposer à vous.

C'était une profession d'honorabilité en bonne et due forme ! Et il était parfaitement sérieux !

— Je n'en doute pas, répondit-elle du même ton.

— Je suis ravi d'avoir votre confiance.

Cette fois, il se moquait d'elle ! Croyait-il que sa remarque était à double sens ?

— Quelles que soient les raisons qui nous ont conduits là, je n'ai pas la prétention de croire que cet... incident a eu de l'importance pour vous. Je sais qu'il ne se reproduira plus.

— Vous le savez ? répéta-t-il avec emphase. Ou bien vous êtes naïve ou bien vous ignorez votre pouvoir de séduction.

— Je ne suis ni naïve ni modeste. Je pense simplement que vous n'avez pas plus besoin de quelqu'un comme moi que de...

— C'est vous qui avez besoin de moi, coupa-t-il durement, balayant du regard le pantalon de coton bleu qu'elle portait avec un vaste tee-shirt. Et vous avez raison : vous êtes trop jeune à mon goût, pas assez féminine et trop insolente !

— Merci ! répondit-elle d'un ton acide.

Le jeune homme haussa les épaules.

— Ce qui ne veut pas dire que je sois insensible à vos charmes, une fois ces détails oubliés.

Alex se sentit bouillir.

— Vous êtes bien magnanime !

Il pencha la tête.

— Je voulais vous rassurer, rien de plus.

Malgré son regard appuyé, Alex refusa de le prendre au mot. Il ne cherchait qu'à la désarmer !

Et il réussissait, songea-t-elle en baissant les yeux la première, comme toujours. Elle aperçut un coffret d'argent.

— Puis-je avoir une cigarette ?

— Inutile de demander.

Mais, comme elle ne bougeait pas, il se leva pour lui en offrir une et lui donner du feu.

— Est-ce cela qui vous chagrine, Alex ? Le fait de n'avoir aucune indépendance ?

Le jeune homme avait repris sa place dans son fauteuil.

— En partie, avoua-t-elle. Excepté les quelques heures que je passe avec Nicky au cours de la journée, je n'ai rien à faire sinon me baigner ou me dorer au soleil.

— Vous vous ennuyez ? dit-il comme s'il trouvait l'idée saugrenue.

— Mettez-vous à ma place !

Le silence retomba un moment.

— Je pourrais peut-être vous versez une petite somme d'argent...

— Non !

— C'est tout à fait dans mes moyens, s'obstina-t-il.

— Là n'est pas le problème. Je ne veux pas de votre argent. Je n'en ai jamais voulu.

— Je viens seulement de le comprendre. Le premier soir, pourtant, vous m'avez fait croire le contraire.

Alex fut aussitôt sur la défensive.

— J'ai dit ce que vous vouliez entendre. Et vous ne m'aviez guère laissé le choix.

— C'est vrai, acquiesça-t-il. Vous êtes une actrice consommée.

— Que voulez-vous dire ?

Pour toute réponse, il la regarda longuement.

— Rien de particulier.

Sa remarque avait pourtant touché un point sensible.

— Vous savez ?

— Quoi ?

Le pli qui barrait le front du jeune homme était presque convaincant. Alex se morigéna intérieurement : non, il ne savait rien.

Et si elle avouait tout... ?

Son cœur se mit à battre plus fort... Mais elle voulut se prouver qu'elle ne craignait pas de lui déplaire.

— Je ne vous ai pas vraiment dit la vérité.

Alex attendit l'inévitable grêle de questions.

— Vous m'étonnez, fit-il avec un sarcasme évident.

Quittant son fauteuil, il s'éloigna vers la porte. Une fois remise du choc, Alex entendit ses pas diminuer dans le couloir. Courant aussitôt à sa suite, elle le rattrapa à l'instant où il franchissait le seuil de son bureau. Jamais son regard n'avait été aussi dur et froid. Alex avala sa salive.

— Je dois vous parler de quelque chose... tout de suite !

Andros attendit un moment avant de répondre.

— Cela vous obligerait-il à quitter la Grèce ensuite ?

— Je crois, dit-elle d'une voix faible, presqu'inaudible.

— Dans ce cas, gardez la vérité pour vous. Elle ne m'intéresse pas.

Alex recula d'un pas.

— Vous avez donné votre parole à Nicky. Entre nous, rien d'autre ne compte.

9

Le ciel chargé de nuages pesait lourdement sur la mer où moutonnaient les vagues. C'était le premier jour de mauvais temps. Au balcon, allongée sur un transat, Alex se laissait pénétrer par la grisaille qui, mieux qu'une date précise sur le calendrier, indiquait la fin de cet été prolongé et l'obligeait à se poser la seule question importante : « Pourquoi suis-je là ? » Mais elle ignorait la réponse.

Elle pouvait toujours avancer qu'*il* ne l'avait pas encore chassée, mais ce serait reconnaître qu'il avait des droits sur elle, ou pire, qu'elle n'avait plus la volonté de le défier.

Certes, la perspective de débarquer à Londres sans logement ni travail ne l'encourageait guère à partir. Pourtant, un jour, il lui faudrait bien affronter cette réalité. Et puis, il y avait Nicky. Mais à mesure que s'écoulait le mois de septembre, il avait de moins en moins besoin d'elle. Il apprenait rapidement le grec et fréquentait maintenant une école sur la côte où il se faisait de nombreux amis.

Le petit enfant frêle était devenu méconnaissable : avec sa peau hâlée, son corps maintenant robuste et plein de vie, il ne ressemblait plus à la jeune femme fragile qui l'avait mis au monde...

Alex se rappelait le jour où elle avait formellement déclaré à Andros que Nicky était anglais...

Elle soupira : qui pouvait savoir avec certitude ce qui se passait derrière ce regard intelligent et sombre ? Elle l'ignorait encore, en dépit des innombrables questions qu'elle n'avait cessé de se poser depuis cette mémorable rencontre, vieille déjà de deux mois. Et depuis, le comportement de Kontos à son égard avait changé de façon radicale : elle sentait qu'il lui fallait s'en aller avant que...

Mais un sursaut d'orgueil l'empêcha d'aller au bout de sa pensée. Elle se leva, décidée à songer aux conditions de son départ plutôt qu'à ses raisons. C'était simple : une réservation à effectuer, une valise à boucler et un avion à prendre. Le jour importait peu.

Bientôt, se dit-elle fermement avant de reprendre l'évocation du passé récent. Après son premier départ avorté, une tension presque intolérable s'était installée. Et puis un soir, alors qu'elle s'apprêtait à affronter un autre dîner dans une atmosphère pesante, Kontos avait envoyé une domestique pour lui demander de le retrouver dans son bureau avant le repas.

C'était un ordre poli, mais ferme. Elle descendit, impressionnée par cette grande première que constituait sa présence à l'intérieur de ce Saint des Saints.

Il l'invita à entrer. En évitant son regard, elle s'avança sur la moquette bleue, prit place dans un fauteuil et jeta les yeux autour d'elle : la pièce était vaste ; elle disposait d'une cheminée flanquée de deux fauteuils à oreilles et d'un imposant bureau gainé de cuir placé près de la fenêtre.

Avec le même sentiment oppressé qu'éprouve une écolière prise en faute dans le bureau du directeur, elle le vit poser un document devant elle.

— Pouvez-vous traduire ceci ?

Décidant de jouer le jeu, la jeune femme parcourut rapidement le texte dactylographié.

— Oui, je pense.

— Pouvez-vous le faire... à haute voix ? précisa-t-il en esquissant un sourire sans doute destiné à masquer son sarcasme.

Comme elle s'exécutait, il hocha la tête et son sourire s'élargit. Alex eut la sensation de passer un examen, mais réussit à dominer sa nervosité et à fournir un résultat satisfaisant.

— Pas mal, déclara-t-il enfin. C'est presque parfait.

— Presque ?

Andros contourna son bureau et lui tendit un feuillet : il s'agissait de la traduction anglaise du texte italien qu'elle venait de lire. Elle ne trouva qu'une seule faute « coût effectif » au lieu de « coût d'efficacité ». Elle lui lança un regard irrité : après tout, elle avait seulement voulu l'aider !

— Quel dommage ! Je n'aurai pas le premier prix ! marmonna-t-elle, railleuse.

— Je ne plaisante pas, répliqua-t-il.

Saisissant un gros dossier, il le plaça devant elle.

— Le reste n'a pas été traduit.

— Et ?

Andros détourna la tête.

— Je me demandais si vous seriez intéressée par ce travail, moyennant salaire, naturellement.

— Pourquoi ? interrogea Alex abasourdie. Pourquoi moi ? Les traducteurs ne manquent pas, et je suis incapable de le traduire en grec.

— Pour commencer, sachez que le document est destiné à un Américain. Il me le faut donc en anglais. Ensuite, aucun des traducteurs que j'emploie n'est d'origine anglaise. J'ai besoin d'un texte fidèle et parfaitement lisible.

Laissant le dossier à portée des mains de la jeune femme, il reprit sa place et ajouta :

— Si vous acceptez, je vous offre mille cinq cents livres, plus cinq cents, si vous le finissez en six semaines.

Alex n'avait aucune notion de la valeur commerciale de ses capacités linguistiques, et la somme annoncée lui paraissait fabuleuse. Elle feuilleta les pages, recouvertes d'un texte serré. Oui, il y avait beaucoup de travail, mais mille cinq cents livres !

— Vous faites cela parce que j'ai dit que je m'ennuyais. Je préfère refuser, même à ce prix.

— Ecoutez : l'idée m'est peut-être venue ainsi, mais je puis vous assurer que j'ai besoin de ce travail et que je vous offre un salaire identique à celui que j'offrirais à une autre personne.

Ses objections tombaient d'elles-mêmes.

— Je possède en Italie du Nord, une chaîne d'hôtels que je désire vendre. Ceci est un rapport destiné à un acheteur éventuel, un Américain. Plus la lecture lui sera rendue facile, plus l'affaire pourra lui paraître intéressante. Excepté cette faute, votre traduction avait le même sens que celle commencée par un de mes employés, mais elle est plus fluide, plus naturelle. Alors, acceptez-vous ?

— Oui, répondit Alex, consciente de saisir sa dernière chance. Mais puisque c'est si important, pourquoi prenez-vous un tel risque avec moi ?

— Quel risque ? Votre anglais est parfait et Lucia me dit que vous parlez italien couramment. Ma confiance est totale, conclut-il.

Involontairement, Alex rougit de plaisir.

— J'espère seulement que vous trouverez cette tâche assez absorbante.

— Oh, oui... hésita-t-elle, confuse. Merci d'avoir pensé à moi. C'est... très gentil.

Comme elle lui adressait un sourire engageant, il lui

répondit avec un assaut de charme éblouissant. Tout étourdie, elle se laissa guider jusqu'à la salle à manger où Andros Kontos lui fit comprendre qu'à présent, le silence n'était plus de mise.

Cet entretien inattendu marqua le début d'une période nouvelle. A partir de ce jour, Andros se montra plus amical, tandis qu'Alex s'efforçait de tenir sa langue et de ne pas aborder les sujets tabou.

Ils étaient au nombre de trois : elle ne devait jamais évoquer son départ éventuel, comme si la décision appartenait à Andros et à lui seul. Ni sa vie en Angleterre dont il préférait toujours ignorer les détails. Quant au troisième, c'était le moins rationnel.

Il concernait Mario. Le jeune Italien n'était pas seulement son chauffeur, mais une sorte d'aide de camp. Pendant qu'Andros occupait la villa nichée dans la colline, Mario habitait le village, et une chambre lui était aussi réservée à l'hôtel d'Athènes. Il devait veiller à ce qu'il y ait toujours des provisions, entretenir la piscine et le jardin, faire venir, deux fois par semaine, une femme de ménage.

Mais depuis que la villa était fermée, il venait chaque jour sur Armina à bord de son petit bateau personnel. Lucia détestait voir son fils livré à lui-même. Un après-midi, n'ayant trouvé aucun travail pour l'occuper, elle avait eu l'idée de demander à Alex si elle aimerait se rendre au village pour faire des courses.

Alex avait hésité : il y avait cette traduction, de plus l'instint lui soufflait aussi que cette escapade ne plairait pas à Andros. Et puis, contre toute raison, elle avait fini par se laisser convaincre, moins par Lucia, qui trouvait qu'elle passait trop de temps enfermée, que par les cris enthousiastes de Nicky qui voulut également inclure Dimitri, le jeune fils de la gouvernante, dans l'expédition.

Finalement, à sa demande, Mario les avait conduits à Sariso, dans une île voisine.

Il faisait un temps magnifique. L'animation du village livré aux touristes contrastait avec le calme qui régnait à Armina. Les garçons admirèrent longuement les gros bateaux ancrés dans le port puis voulurent voir le marché coloré qui se tenait dans les rues.

Alex se contenta de regarder les poteries et les bijoux artisanaux qu'elle ne pouvait s'offrir. Comme il lui restait un peu de monnaie grecque, elle finit par acheter un petit foulard bleu à pois blancs pour protéger ses cheveux des embruns pendant la traversée. Avec le reste, elle offrit à tous d'énormes glaces.

Attirés par la musique, ils débouchèrent ensuite sur un petit jardin où jouait un orchestre vêtu des traditionnelles tuniques brodées et de pantalons blancs bouffants. Un groupe de badauds s'était lancé dans la célèbre danse de Zorba, encourageant les hommes de l'assistance à venir les rejoindre. Bientôt, Mario et Dimitri se mêlèrent à eux. Nicky, hésitant, demeura près d'Alex.

Comprenant le dilemme qui l'agitait, celle-ci voulut en profiter pour lui parler. Elle lui prit la main, l'entraîna loin de la foule et l'installa sur un mur bas qui entourait l'église, non loin du jardin.

— Ecoute, Nicky. Tu ne dois plus choisir entre l'île et... Londres. Tu ne peux pas retourner là-bas : les déménagements, la pluie... sont mauvais pour toi. Maman t'avait parlé de cette île parce qu'elle savait que tu y serais heureux, elle savait qu'un jour tu partirais vivre chez toi, comme ton papa le voulait. Et moi, je sais que tu ne seras jamais heureux ailleurs. Alors, sois heureux pour moi, et reste. D'accord ?

L'enfant hocha solennellement la tête et ajouta :

— Et toi, Lex ?

Un nœud dans la gorge, la jeune femme se sentit

incapable d'articuler la réponse qu'il souhaitait. Mais son regard parlait pour elle et Nicky parut se résigner. Cette fois, il accepterait sans drame.

— Je t'aimerai toujours, Nicky, assura-t-elle en lui entourant les épaules. Tu dois le croire. Si je pouvais, je resterais avec toi, mais tu vois, cette vie n'est pas pour moi. Je ne suis pas grecque comme toi et je suis trop vieille pour changer. Je ne suis pas... chez moi, ici.

Après un long silence, Nicky répondit d'une voix tremblante :

— Mais sans moi, tu seras toute seule !

Alex réussit difficilement à ne pas fondre en larmes.

— Oh, Nicky chéri, ne t'inquiète pas pour moi, dit-elle en l'écrasant contre elle.

— Tu viendras me voir ?

Le petit garçon pleurait mais semblait prêt à accepter l'inévitable.

— C'est toi qui viendras me voir, affirma-t-elle, sûre que si Nicky le voulait vraiment, Andros l'autoriserait à le faire. Tout ira bien, tu verras.

Il essuyait ses larmes lorsque Mario et Dimitri réapparurent.

— Mais tu restes encore un peu ? demanda-t-il.

— Un peu, acquiesça-t-elle en songeant au travail qu'il lui fallait terminer. Disons... un mois.

Tout s'arrangerait, pensa Alex avec un pincement au cœur : Déjà, son neveu s'élançait vers la foule, à la poursuite de Dimitri...

Elle adressa un sourire lumineux à Mario, et ils redescendirent vers le port.

Si elle avait pu prévoir l'accueil qui les attendait à leur retour, Alex aurait vraisemblablement réduit son estimation du temps qui lui restait à passer sur l'île. Certes, il était très tard, mais était-ce sa faute si le bateau avait refusé de démarrer ? Et si les garçons s'étaient salis à vouloir aider Mario avant d'accepter finalement l'intervention d'un autre marin du port ?

Pourtant Alex s'attendit au pire en mettant pied à terre et en rattrapant le petit groupe déjà soumis à l'inspection sévère d'Andros. A en juger par son attitude, elle allait avoir du mal à placer un mot.

Mais son appréhension céda brusquement la place à l'indignation : Nicky venait à peine de lui lancer un timide « Bonjour, oncle Ros » que celui-ci lui commanda sèchement de prendre son bain et d'aller au lit. L'enfant tourna vers elle un regard qui signifiait : « Qu'est-ce que j'ai fait ? »

— Tout de suite ! rugit alors Andros.

Dimitri n'attendit pas son ordre pour s'exécuter. Ce qui laissait Mario effrayé par la première démonstration de colère de son idole, et Alex bouillonnante.

— Comment osez-vous...

— Taisez-vous ! coupa-t-il avant de se tourner vers Mario.

Alex comprit très bien la teneur de son discours : Le garçon se faisait taper sur les doigts parce qu'il avait osé s'éloigner de l'île avec elle sans sa permission.

Sous ses yeux stupéfaits, et malgré la crainte que lui inspirait Andros, le jeune homme s'interposa entre elle et lui. Alex eut applaudi son geste si elle n'en avait pas entrevu les conséquences désastreuses. Avançant d'un pas, elle fit comprendre à Mario qu'elle se débrouillerait seule.

Celui-ci regagna alors son bateau. A peine avait-il fait demi-tour qu'Andros passa à l'attaque.

— Que lui avez-vous dit ?

— Que vous êtes furieux parce que vous vouliez emmener Nicky quelque part, mais que vous retrouverez votre calme en comprenant que vous avez fait beaucoup de bruit pour rien.

— Où étiez-vous ? aboya-t-il en lui barrant le chemin. Ne mentez pas. Vous n'étiez pas au village : j'y suis allé.

— Je n'étais pas au village, répondit Alex, mais si j'avais su que je vivais sur Alcatraz, je me serais enfuie.

Le trait d'humour laissa Andros insensible.

— Je croyais que vous étiez partie.

— Et vous êtes furieux parce que je suis revenue ?

— ... et que vous aviez emmené le petit.

Alex ne voyait pas en quoi cela justifiait sa rage présente. Elle eut un rire sarcastique.

— Et comment me serais-je échappée sans argent, sous les yeux de Mario ?

— Vous ne manquez pas de ressources, marmonna-t-il. Avec vos talents, vous auriez pu le convaincre de vous aider !

C'était reparti ! Pendant une seconde elle faillit céder à la tentation de confirmer que Mario était un jeune homme plein de bonne volonté, mais elle hésita à le mettre en cause.

— Ecoutez, laissons Mario en dehors de cette affaire. Oui, j'aurais pu trouver un moyen, mais je n'y avais pas même songé. Pourquoi ne voulez-vous pas accepter l'idée que je vous laisse Nicky et vous montrer beau joueur ?

Le regard d'Andros s'assombrit...

— Parce que je n'ai pas l'impression de gagner.

Se méfiait-il encore ?

— Je n'y peux rien, dit-elle dans l'espoir de mettre un terme à cette querelle.

— Où étiez-vous ? répéta-t-il. Je demanderai à Nicky...

— Ne croyez-vous pas qu'il a eu assez peur pour aujourd'hui ?

Comme il pinçait les lèvres, elle devina qu'elle avait marqué un point.

— A Sariso, dit-elle d'un ton apaisant.

— Pourquoi ?

— Pourquoi ? Je crois rêver ! explosa-t-elle. Vous prenez-vous pour le Grand Inquisiteur ?

— Alex ! gronda-t-il.

— C'est bon : nous avons visité le village. Les garçons ont regardé les bateaux. Il me restait quelques drachmes et j'ai acheté ce foulard au marché. Ensuite, nous avons mangé des glaces. Après, Mario et Dimitri ont dansé. Quand nous avons décidé de rentrer, le bateau n'a pas démarré tout de suite. Voilà pourquoi nous sommes en retard.

Elle avait débité son petit discours avec un ennui étudié.

— Au cas où vous n'auriez pas compris, c'est ce qu'on appelle d'ordinaire se distraire.

— Ne soyez pas insolente ! commanda-t-il.

Le front buté, Alex attendit la prochaine question. Mais Andros la soumit à un examen silencieux.

— Puis-je partir ?

— Pas encore !

Comme elle tentait de passer devant lui, il lui saisit le bras.

— Vous me faites mal, protesta-t-elle, les dents serrées.

A sa grande surprise, il relâcha son étreinte.

— Parce que vous croyez que vous ne me faites pas mal ?

— Moi ? railla-t-elle. Faire mal à l'Empereur Kontos, le seigneur et maître de ce petit royaume insulaire ? Comment le pourrais-je ?

— L'ignorez-vous vraiment ?

Un bref instant, Alex se demanda ce qui lui échappait.

— Dites-moi ! J'aimerais tant vraiment savoir où est votre talon d'Achille.

Au lieu d'une réponse cinglante, elle ne reçut qu'un sourire satisfait.

— Non ce ne serait pas une bonne idée. Mais je dois reconnaître que vous visez juste d'instinct.

— Vous êtes trop aimable.

— Pas du tout. Je le pense vraiment.

— J'aimerais vous croire. La prochaine fois que vous serez blessé, montrez-moi votre sang.

— Les rocs ne saignent pas.

— C'est vous qui le dites, pas moi.

Il lui lança un regard oblique.

— Selon, vous, je n'ai rien d'humain ?

Où voulait-il en venir ?

— Je préfère ne pas répondre.

— Je promets de ne pas me mettre en colère.

— Juré ?

— Je signerais bien avec mon sang, mais...

Devant son rire amusé, Alex se détendit.

— Comment me voyez-vous ? poursuivit-il.

Peut-être demandait-il une réponse sincère... Mais Alex n'avait pas envie de la donner.

— Oh, plutôt comme l'un de vos anciens dieux ! dit-elle au bout d'un moment, d'un ton chargé d'ironie.

— Je ne me sens pas flatté. Lequel ?

— Je ne sais pas encore, fit-elle en étudiant le visage brun. C'est difficile... Ils étaient tous cruels avec nous, pauvres mortels.

Eclatant de rire, Andros rejeta sa belle tête en arrière.

— Qu'y a-t-il de si drôle ?

— Vous !

Alex lui decocha un regard noir.

— Vous, une pauvre mortelle ! Je n'ai rien entendu de plus comique.

— Je ne vois pas pourquoi, objecta Alex qui commençait à se sentir le dindon de la farce.

— Dans la mythologie, telle que je l'ai lue, la plupart des pauvres mortels éprouvaient un respect craintif à l'égard de leurs dieux et savaient comment apaiser leur colère. Tandis que vous, ma fière et obstinée Alex, vous continuez à argumenter *après* le coup de tonnerre !

— Je refuse d'abdiquer devant vous. C'est cela qui vous déplaît, avouez-le !

La tête penchée, elle offrait une ravissante image du défi.

— J'avoue que... l'idée de vous voir abdiquer devant moi a tout pour me séduire.

Cette fois, Alex fut complètement désarçonnée. Le sous-entendu, et le rire satisfait qui l'accompagnait, lui rappelaient trop vivement une nuit, sur la plage... Pire encore, les pensées du jeune homme semblaient suivrent la même direction.

— Pourtant, quand la pauvre mortelle était jolie le dieu le plus cruel et le plus vengeur pouvait se transformer en un doux et tendre adorateur, poursuivit Andros d'un ton savamment sensuel. Pourquoi ne pas essayer, belle Alex ?

Du bout des doigts, il lui caressa la joue et la gorge.

— Non, protesta-t-elle faiblement.

— Pourquoi ?

Sa caresse légère s'arrêta sur la veine qui battait violemment à son cou.

— Nous pourrions nous entendre...

— Je... je ne vois pas les choses ainsi... murmura-t-elle en secouant désespérément la tête.

Puis elle se figea d'effroi : il venait de glisser la main sous sa blouse. Il la retira immédiatement, comme s'il craignait d'être vu de la maison, mais après avoir effleuré un instant l'un de ses seins dont la pointe sensible se dressa aussitôt.

— Votre corps le sait, chuchota-t-il en reprenant son bras.

Même aux yeux d'Alex, il était trop tard pour lui adresser des reproches, trop tard pour s'offenser. Tremblant comme une feuille, son corps semblait donner raison au jeune homme.

— C'est vous... articula-t-elle péniblement, qui savez... me faire réagir ainsi.

— Allons, vous n'êtes pas une vierge timide qu'on peut manipuler à sa guise ! Ou bien voulez-vous dire que vous réagiriez de même avec n'importe qui, pourvu qu'il soit assez expert ?

— Non ! s'écria Alex, toute sa violence retrouvée.

Andros eut un rire où pointait une note douce et sauvage à la fois.

— Si vous aviez répondu oui, je vous aurais étranglée.

Son regard se fit plus tendre et sa voix plus persuasive.

— Imaginez, Alex... Ce serait magnifique ! Nos différends n'auraient plus d'importance si nous devenions amants.

Alex le fixait, hypnotisée. Comme il paraissait sincère... Mais dans un sursaut, elle comprit qu'il lui suggérait froidement de devenir sa maîtresse ! Et elle ne protestait pas ! Ils avaient perdu la tête !

— Andros ! c'est impossible ! commença-t-elle. Il y a dix minutes, vous hurliez et maintenant vous dites que... c'est absurde...

Elle se tut, vaincue par sa propre confusion.

— Un homme et une femme se querellent souvent au début, argumenta Andros.

— Nous ne nous querellons pas, corrigea-t-elle avec emphase, nous nous battons !

Il poursuivit, comme s'il n'avait rien entendu.

— Et d'ordinaire, on explique ce phénomène par une très forte attirance physique couplée à la frustration, acheva-t-il.

— Je ne suis pas frustrée !

— Eh bien, vous avez de la chance.

Il pressa doucement son bras.

— Mais vous êtes attirée, ajouta-t-il en la sentant frémir sous ses doigts.

Ils étaient revenus à la case départ. Cette fois, Alex ne nia pas.

— Cela ne suffit pas ! Je ne deviendrai jamais la maîtresse d'un homme sur la base d'une attirance physique. De part et d'autre, il faut qu'il y ait...

— De l'amour ?

A l'entendre, il ne s'agissait que d'une faiblesse typiquement féminine.

— Il faut vous dire qu'on vous aime ? Si c'est tellement important, je...

— Inutile, l'arrêta Alex. Ce sont mes sentiments qui comptent avant tout. Même si vous répétiez que vous m'aimez jusqu'à en perdre le souffle, je ne vous croirais pas et je ne me laisserais pas séduire comme ces idiotes qui acceptent de vous suivre dans votre lit !

Andros se tut un instant.

— Avez-vous fini ? J'allais vous répondre qu'il m'était impossible de dire si je vous aimais ou non, et que je n'ai pas l'habitude de jouer la comédie. Quant à ces femmes stupides dont vous parlez...

La suite était inévitable !

— A votre place, je me méfierais : vous pourriez bien être la prochaine.

— Je... commença Alex aussitôt interrompue par Andros qui tenait à avoir le dernier mot.

— Je suis patient, mais laissez Mario tranquille. Votre esprit de rébellion est contagieux. Cela m'amuse de l'apprivoiser chez vous, mais je n'aime pas le retrouver chez ce garçon.

Il lui tapota la joue.

— Si vous êtes sage, vous sortirez... avec moi.

Sur ces mots, il s'éloigna vers la maison. Alex avait envie de hurler, mais elle ne lui accorda pas ce plaisir.

10

« Tu ne corrompras pas Mario. » Tel était le commandement d'Andros. Alex exhala un profond soupir : si Andros Kontos lui rappelait un dieu, c'était plutôt un modèle païen !

Fidèle à sa promesse, et le plus souvent contre son gré, il l'avait emmenée visiter divers endroits. En l'espace d'une semaine, il avait réussi à se procurer un vrai bateau, prêté par un ami, mieux adapté qu'une simple vedette aux longs voyages.

Nicky était captivé, mais Alex avait modéré son enthousiasme, tandis qu'Andros leur faisait faire le tour du propriétaire : le pont était entièrement en noyer verni et en cuivre ; les cabines et les équipements intérieurs jouissaient d'un tel confort qu'on aurait pu vivre à bord en permanence.

Alex commença pourtant par repérer et participer à l'excursion d'essai dans l'île avoisinante de Kea. Elle avait bonne mémoire et n'oubliait pas qu'Andros lui offrait ces récréations à titre de récompense, si elle était « sage ».

Naturellement, le jeune homme avait usé d'un subtil chantage en prétendant devant Nicky qu'il n'irait pas si elle ne venait pas. La jeune femme avait fini par céder aux cajoleries de l'enfant, mais elle s'était tenue autant que possible à l'écart d'Andros.

Cependant les traversées duraient parfois longtemps. Pour visiter les Cyclades, Andros avait demandé à Spiro de le seconder à la barre. Il devint alors plus difficile de l'éviter... et de se rappeler pourquoi elle l'évitait.

Oui, il s'était montré patient, tout comme un chasseur sait mesurer ses mouvements ; il ne se permettait que des gestes apparemment insignifiants : un bras sur son épaule quand ils arrivaient en vue du rivage, sa main dans la sienne pour la guider sur les pas des garçons qui couraient vers les ruines de Naxos ou de Tinos, son corps contre le sien quand il la tirait de l'eau après une chute en planche à voile. Mais il s'arrangeait toujours pour les accompagner de ces regards veloutés qui soulignaient la véritable nature de son désir.

Au début, elle avait considéré cela comme un jeu : à chaque assaut de charme, elle répondait par un regard glacé, et il riait, comme pour dire qu'il n'y avait pas de mal à essayer. Peut-être s'amusait-elle aussi, peut-être même se sentait-elle flattée... Parfois, après une journée joyeuse et détendue, elle se surprenait à imaginer comment les choses se passeraient s'ils étaient amants et.., l'idée ne lui paraissait plus aussi absurde.

Pourtant, à mesure que son imagination galopait, son attirance pour Andros devenait plus forte. Et elle croyait, honnêtement, tenir la situation en main. Car après tout, il aurait fallu être folle pour prendre ce jeu au sérieux...

Alex essuya une larme avec irritation. Pourquoi pleurait-elle ? Rien n'était vraiment arrivé. Elle avait agi à la légère, mais cela ne signifiait pas qu'elle allait perdre la tête tout à fait. L'incident avait été sans importance...

Nicky allait maintenant régulièrement à l'école, et la traduction était achevée depuis une semaine. Un après-midi, Andros rentra plus tôt que d'habitude et trouva Alex dans la bibliothèque, plongée dans la version grecque de David Copperfield. Il lui suggéra de façon détachée de venir avec lui visiter les ruines de Lavrian. Pourquoi pas ? se dit-elle. C'était pourtant la première fois qu'ils transgressaient la règle du jeu, car Nicky était toujours l'alibi tangible de leurs expéditions ensemble.

Au cours de la traversée, ils n'échangèrent que quelques mots, comme s'ils économisaient leur souffle pour l'escalade qui devait les mener jusqu'au sommet de la colline où s'élevait autrefois un temple.

Le site n'offrait plus que quelques colonnes encore dressées parmi la végétation qui avait progressivement tout envahi. Mais Andros parla avec animation des différents dieux dont il avait abrité les statues, avant d'être détruit par les Romains et de devenir, à la fin de la Seconde Guerre mondiale, la plaque tournante du débarquement des troupes britanniques.

Comme Alex s'extasiait sur ses connaissances d'histoire, Andros assura avoir tout appris par cœur avant de partir pour l'impressionner. D'un regard, elle le traita de menteur et dévala le sentier vers la plage.

Trop vite. Elle fit un faux pas, aussitôt retenue par Andros qui l'empêcha de tomber. Mais comme il tardait à la lâcher, Alex se dégagea vivement. Sa hâte le fit rire. Alors, mue par une impulsion diabolique, la jeune femme se retourna vers lui et s'immobilisa. Le défi n'avait pas échappé à son compagnon qui plongea son regard dans le sien. A présent, la balle était dans son camp.

Brusquement, l'expression d'Andros s'altéra. Son sourire s'effaça, emporté par la brise qui soulevait les cheveux d'Alex dont les mèches caressaient doucement la tête penchée vers elle. Elle voulut les écarter, mais il lui ordonna de ne pas bouger.

Quelque chose dans sa voix rauque et âpre aurait dû la faire reculer, mais elle était décidée à rester encore, jusqu'au bout...

Quand la tête d'Andros cacha le soleil, elle ferma les yeux et accepta ses lèvres en soupirant. Il se contenta d'abord de cette soumission. Sa bouche demeura tendre et taquine. Il se serait sans doute écarté si Alex, étourdie, n'avait pas posé les mains sur ses épaules pour garder l'équilibre. Mais il interpréta son geste comme un élan de désir : il la prit dans ses bras et la serra étroitement contre lui, lui révélant toute l'ardeur qui le consumait. Grisés par ce moment de passion, ils perdirent tous deux la notion du temps et du lieu...

Deux jeunes gens apparurent dans un repli du sentier, trouvant leur ascension bloquée par une jeune fille en tee-shirt et en short, presque soulevée du sol par un homme visiblement plus âgé. C'est ainsi, en tout cas, qu'Alex visualisa la scène après coup.

Ils s'étaient écartés. Dégrisée par la fin de ce long baiser, elle revint à la réalité en voyant le sourire ironique des deux garçons. Andros leur lança un regard sombre. C'étaient deux Américains. L'un d'entre eux murmura au passage :

— Pardon...

Ils reprirent leur ascension :

— Si on était arrivé cinq minutes plus tard ! railla l'autre.

Mais son ami se montra plus explicite.

— Dommage ! Le type n'aurait même pas remarqué le passage du Philarmonique de Boston ! Tu as vu comme elle s'accrochait à lui ? Whoo !

Alex dut retenir « le type » de toutes ses forces. Quand enfin ils eurent disparu, elle baissa la tête, regrettant de ne pouvoir rentrer sous terre. Risquant un coup d'œil, elle vit ses traits encore tendus par la colère. C'était sa faute, elle ne s'était pas écartée à temps.

— Je... je suis désolée, bredouilla-t-elle.

Mais son regard noir ne l'accusait pas.

— Petite folle... vous étiez si belle !

Il lui souleva le menton.

— N'ayez pas honte. Ils nous ont salis parce qu'ils étaient jaloux. Alex, vous êtes si belle...

Il la regardait avec une telle tendresse que le cœur de la jeune femme cessa de battre un instant, désormais, rien ne serait plus comme avant.

Luttant contre la folle et irrésistible envie de se jeter dans ses bras, elle réussit à s'éloigner. Andros pensa qu'elle voulait rester seule et ne chercha pas à la rattraper.

Plus tard, sur le bateau, il voulut parler, mais elle secoua la tête, incapable de s'expliquer son impulsion, plus encore devant lui. Le trajet du retour se déroula dans le plus grand silence.

Il se prolongea les jours suivants, mais ce n'était plus ce silence oppressé qu'impose le maître à son esclave. Le trouble qu'éprouvait Alex en présence d'Andros l'empêchait simplement de lui parler avec naturel. Elle s'arrangeait donc pour éviter son regard et, quand elle le croisait, il était parfois difficile de dire lequel des deux avait le plus envie de détourner la tête.

Mais il n'était pas en colère : de temps à autre, il posait une question banale, à laquelle elle se sentait obligée de répondre, comme s'il essayait de garder un contact, fût-ce le plus ténu.

Ce fut pourtant avec un vif soulagement qu'elle accueillit l'annonce de son départ pour l'Italie où ses affaires l'appelaient pendant une semaine.

Ce jour-là, elle lui demanda s'il pouvait lui donner son argent pour la traduction, et reçut pour toute réponse un long regard interrogateur. Il promit finalement de le lui remettre à son retour. En soupirant, elle répéta encore que si elle devait partir, ce serait sans Nicky.

Il dit alors la chose la plus étrange : il préférait qu'elle prenne l'enfant avec elle. Devant son expression incrédule, il ajouta :

— Car vous me donnerez une bonne raison d'aller vous rechercher et de me venger.

Et elle avait fait de ces mots-là la source de tous ses rêves ? Alex se morigéna intérieurement : il fallait être idiote pour lire de la tendresse dans une telle menace, pour perdre ses jours à penser à un homme qui ne désirait qu'une seule chose : que leur conflit s'achève sur une reddition de sa part, si possible dans son lit !

Mais elle n'était pas idiote. Au cours de français, elle avait connu une jeune fille nommée Marcia qui était tombée amoureuse d'un étudiant en médecine. Quiconque possédait une once d'intelligence aurait vu que l'aspirant médecin se moquait éperdument de cette fille, mais Marcia avait passé de longs mois à interpréter ses atermoiements comme de la timidité, jusqu'à ce qu'il lui ait prouvé le contraire en sortant avec une autre fille.

Alex n'était pas aussi stupide : si Andros lui disait des paroles désagréables, c'était en toute conscience, et non parce qu'il souffrait de quelque obscur sentiment d'infériorité. Et si de temps à autre il lui adressait des discours galants accompagnés de longs regards c'était seulement dans le but de vaincre ses réticences. Quant aux silences lourds de sous-entendus, ils pouvaient être portés au compte de l'ennui.

Non, décidément, elle n'était pas Marcia. Mais à quoi lui servait sa sagesse, puisque celle-ci n'entamait pas la fascination qu'Andros exerçait sur elle ? Que faire ? Si elle écoutait la voix de la raison : prendre son argent et partir. Et si elle y restait sourde ?

Avec un sourire sans joie, elle se demanda comment

Andros pourrait trouver un lien entre une vierge timide et la mère d'un garçon de six ans ! Puis elle se laissa gagner par un mouvement d'irritation. A quoi bon ressasser toutes ces questions ? Quittant sa chaise longue, elle rentra dans sa chambre pour trier les vêtements qui avaient besoin d'être lavés. Il lui fallait s'éloigner de cette île au plus vite, avant que... Alex s'immobilisa sous le choc.

Et s'il n'avait pas compris jusqu'à quel point elle manquait d'expérience ? Il lui permettrait de rester jusqu'à ce qu'il puisse y remédier, puis la renvoyer avec un de ses gros chèques comme une vulgaire prostituée. Et peut-être alors l'accepterait-elle, car elle aurait fini par se considérer comme telle. Il fallait être folle, ou amoureuse, pour en arriver là.

— Et tu n'es pas amoureuse, dit-elle à son reflet dans le miroir. Tu traverses une mauvaise passe, c'est tout.

Très mauvaise... Dans le miroir, la jeune femme recommençait à pleurer. Alex jura de se montrer plus forte et, ouvrant la porte, elle emporta avec elle un paquet de linge sale.

L'après-midi s'achevait, et elle n'était toujours pas prête. En disposant d'un ou deux jours supplémentaires, elle aurait eu le temps de mettre de l'ordre dans ses pensées et de préparer un petit discours d'adieu qui aurait peut-être réussi à la convaincre elle-même. Et voilà qu'elle attendait sur la jetée, forçant un sourire, le cœur criant contre l'injustice du sort. Comment osait-il rentrer trois jours à l'avance ?

En approchant, il rencontra son regard et répondait à son sourire. Etranglée par l'émotion, Alex sentit que s'il lui parlait, elle n'aurait pas la force de proférer un son. Pour la première fois, elle ne se mentait plus : elle aimait Andros.

Mais elle avait de surcroît, perdu la tête, car elle crut déceler une émotion identique dans ses yeux. S'ils avaient été seuls, elle aurait cédé à l'impulsion de confesser sa folie. Fort heureusement, il y avait des témoins.

Portant la valise d'Andros, Spiro passa devant elle en hochant la tête. Dimitri lança un joyeux cri de bienvenue. Nicky tendit la joue et reçut un baiser affectueux. Pendant ce temps, Alex essayait de retrouver ses esprits.

Ce fut l'instant que choisit Nicky pour se tourner vers elle.

— Tu n'embrasses pas Oncle Ros ? Il est parti depuis longtemps !

Le visage de la jeune femme s'enflamma. Désarçonnée, elle fit la sourde oreille.

— Tu mérites une récompense ! lança Andros à l'adresse de Nicky.

L'expression du garçon s'illumina.

— Cours après Spiro et demande-lui d'ouvrir ma valise.

Puis il se tourna vers Alex.

— Ce n'est qu'un petit cadeau. Et Dimitri en a un aussi.

— C'est... très bien... vraiment, assura-t-elle aussitôt.

Leur querelle à propos du premier jouet était déjà loin. Seul importait le regard qu'il fixait sur elle, un regard brûlant, comme s'il ne pouvait s'arracher à la contemplation de son visage. Et elle savait que ses yeux la trahissaient aussi.

— Je vous ai manqué ? dit-il.

Fière de pouvoir plaisanter, elle répondit :

— Ai-je droit à un cadeau, si je dis oui ?

— Justement, j'ai quelque chose pour vous, confia-t-il avec un sourire secret. Et c'est bien la réponse que j'attendais, mais la question est un peu différente.

— Oh !

L'imagination d'Alex galopait déjà. Il lui prit la main.

— Venez, allons marcher un peu.

Son geste lui parut tout à fait naturel. Et comme elle le suivait, il ajouta, telle une évidence :

— Vous m'avez manqué, Alex.

Le vent soulevait les pans de sa veste. Les cheveux dans les yeux, elle se sentait nerveuse, malgré la main qui lui communiquait chaleur et confiance. Ils ne marchèrent pas longtemps ; ils s'arrêtèrent derrière un groupe de rochers qui dissimulait la maison et les protégeait des regards curieux.

Puis il tendit la main pour écarter ses cheveux : ses yeux immenses n'avaient jamais été plus clairs.

— Ai-je besoin de le dire, Alex ? interrogea-t-il d'une voix rauque. Vous devez savoir ce que je ressens.

Alex le regarda sans parler, lisant sur son visage ténébreux un tourbillon d'émotions, incapable de distinguer la réalité de ce qu'elle espérait y trouver. Elle secoua lentement la tête : elle avait besoin de ces mots... Mais quand elle les entendit, ils confirmèrent ses craintes et brisèrent net le rêve fragile né de ce premier instant où ils s'étaient revus.

— Dieu, Alex, j'ai envie de vous, murmura-t-il en prenant sa bouche.

Son baiser n'avait rien d'expert : trop fiévreux, trop avide, il en était presque brutal. Et si les paroles d'Andros n'avaient pas déjà blessé Alex, ce baiser l'aurait fait. Dans sa violence, il interdisait jusqu'à la réponse qu'il attendait.

Andros avait dû le sentir, car quand elle commença à montrer des signes de panique et se mit à lutter pour se dégager, il la lâcha en grondant, puis marmonna une excuse.

Alex lui aurait tout pardonné, même cette dureté, s'il avait dit « Je vous aime » ou « J'ai besoin de vous ». Ce

« J'ai envie de vous » donnait corps à ses soupçons... S'il lui restait la moindre trace d'orgueil, elle partirait.

Elle savait ce qu'elle devait dire maintenant, mais il lui manquait la force de parler. Finalement, Andros la lui donna lui-même en prenant délicatement son visage entre ses mains, comme s'il voulait lui faire oublier cette première approche brutale.

Comme il était sûr de son pouvoir ! Et elle s'en voulait parce qu'elle se savait prête à céder. Comment pouvait-elle aimer un tel homme ?

— Je suis heureuse que vous soyez rentré, dit-elle. Je veux partir et, naturellement, je dois vous demander de l'argent.

Le jeune homme se figea une seconde avant de lui saisir les épaules.

— Que dites-vous ? s'écria-t-il, incrédule.

Il souffrait ? Se pouvait-il qu'elle ait réussi ce miracle ?

Mais elle s'arracha à son regard pour ne plus y lire la douleur. Il n'avait que faire de sa pitié. Il n'avait pas besoin d'elle : il avait *envie* d'elle.

— Je veux rentrer. Vous me devez de l'argent, pour mon travail, précisa-t-elle.

Mais Andros secouait obstinément la tête.

— S'il le faut, je partirai sans l'argent.

— Pourquoi, Alex ?

Il paraissait en état de choc... Il avait été si sûr de lui !

— Que voulez-vous dire ?

— Allez au diable ! Il y a dix minutes à peine vous...

— Je dois partir, coupa Alex.

Elle n'avait aucune envie de savoir comment il interprétait ce moment où elle avait été si vulnérable.

— Donnez-moi une seule raison valable.

En d'autres termes : « Comment peut-on songer à quitter un tel paradis ? »

— J'aime un autre homme, mentit-elle.

— Je ne vous crois pas.

Il avait retrouvé toute son arrogance. Et soudain, sur une note aiguë, il cria :

— Qui ?

Alex avala sa salive, regrettant déjà de s'être risquée dans ce mensonge. Mais son orgueil prit le dessus.

— Un jeune homme en Angleterre. Je lui ai promis de revenir il y a déjà longtemps.

— Je vois...

Son regard se voilà. Alex crut qu'il acceptait les faits sans révolte. Mais il reprit, furieux :

— Non, Alex Saunders, je ne vois pas !

Il l'attira violemment dans ses bras et s'empara de ses lèvres avec une sensualité dévorante, dévastatrice. Accrochée à lui, Alex se laissa engloutir par le tourbillon... et puis, brutalement, il la repoussa.

Au fond de son regard, il n'y avait que mépris. Il l'avait embrassée pour l'humilier, elle qui osait répondre à son baiser alors qu'elle appartenait à un autre homme ! Son orgueil était satisfait.

Elle le haïssait !

Rejetant la tête en arrière, elle lui sourit insolemment. Mais il tourna les talons et s'en alla. Son cœur se brisait : elle l'aimait, pauvre folle !

11

Alex aurait pu dormir jusqu'à midi sans trouver le repos. Mais la femme de chambre l'éveilla peu après huit heures pour lui présenter son petit déjeuner et lui porter un message d'Andros lui demandant d'être prête une demi-heure plus tard.

Prête pour quoi ? Alex l'ignorait. Comme elle n'avait pas dîné, ils ne s'étaient pas revus depuis la scène de la veille.

La jeune femme se doucha et s'habilla à la hâte, puis se maquilla légèrement dans l'espoir d'estomper les cernes creusés par une nuit agitée. L'effet fut spectaculaire. Pourtant, une lueur dans son regard révélait que cet éclat retrouvé n'était qu'une apparence trompeuse.

Certes, Alex avait beaucoup pleuré, mais elle avait aussi longuement réfléchi : à présent, en descendant l'escalier, elle était presque convaincue d'avoir exagéré ses sentiments pour Andros. Son orgueil comptait plus que le désir de lui plaire à tout prix. Ne l'avait-elle pas délibérément blessé en s'inventant un jeune fiancé anglais ? Or quand on aimait, pouvait-on, de sang-froid, faire mal ?

Ce fut donc avec une sorte de détachement qu'elle franchit le seuil du salon.

— Oui ? dit-elle à l'adresse de l'homme qui, le dos

tourné, semblait perdu dans la contemplation du paysage.

Andros sursauta. Quand il fit volte-face, il l'enveloppa longuement du regard, comme s'il ne la reconnaissait pas et cherchait à se rafraîchir la mémoire.

Elle aussi tressaillit, déroutée par ses cheveux noirs et luisants plaqués en arrière, son costume impeccable en contraste absolu avec l'expression hagarde de son visage d'ordinaire si impassible. Une grande lassitude se lisait dans son regard, témoignant d'une nuit aussi agitée que l'avait été la sienne.

Devant cette image si pathétique, toute la belle assurance d'Alex fondit. Ironique et séducteur, cruel et corrompu, elle l'aimait. Et plutôt que de tout perdre, s'il le désirait encore, s'il lui disait un seul mot, au diable son orgueil, elle ferait la moitié du chemin.

— Vos bagages sont-ils prêts ?

Sa voix avait explosé comme un coup de pistolet, figeant le sourire qu'Alex avait à peine esquissé.

— Pas encore, souffla-t-elle.

— Je vais envoyer une domestique, dit-il en passant devant elle comme un coup de vent glacé.

Il ajouta autre chose : il allait la conduire à l'aéroport ; elle avait une place sur le vol de douze heures à destination d'Heathrow. Nicky ? Non, elle ne pouvait pas le voir, il était déjà à l'école. Il valait mieux éviter les adieux déchirants. Voilà l'argent qu'il lui devait, un chèque de mille sept cent livres et le reste en liquide pour ses dépenses courantes.

Elle répondait par monosyllabes. A quoi bon protester ? Elle l'avait voulu ainsi ; maintenant Andros le voulait ainsi à son tour.

Spiro Kallidès effectua avec eux la traversée en bateau, court répit au cours duquel Alex regarda l'île disparaître au fond de l'horizon brumeux. Il n'exprima aucune curiosité à voix haute, mais ils échangèrent des adieux chaleureux qu'Andros interrompit brutalement.

Puis il y eut le trajet jusqu'à Athènes et l'aéroport d'Hellenikon. D'autres mots : elle devait fixer sa ceinture de sécurité ; voulait-elle ouvrir la fenêtre ? Il avait pris la route la plus rapide. Une cigarette ? Ils n'en auraient que pour une heure... Et d'autres phrases, brèves, entrecoupées de longs silences.

Alex se demandait pourquoi il se donnait la peine de parler. Assis près d'elle, il était déjà trop loin pour entendre ses réponses. Au bout d'un moment, elle n'ouvrit même plus la bouche. Le paysage défilait derrière un écran de larmes. Trop vite.

Ils arrivèrent enfin. Elle essuya ses joues du revers de la main, inutilement, car Andros fixait le vide devant lui.

Merci, elle pouvait porter son sac toute seule. Oui, elle voulait qu'il embrasse Nicky pour elle. Silence. Adieu.

Elle descendit de voiture, prit son sac et se dirigea vers les portes. « Ne te retourne pas ! » lui commanda une voix intérieure quand elle vit la limousine bleue se refléter dans les vitres. Pas de drame !

Avant de recommencer à pleurer, Alex réussit à s'effondrer dans un fauteuil de la salle des départs. Ses larmes coulaient en un torrent ininterrompu et, après une vaine tentative, elle n'essaya même plus de l'endiguer.

Pendant une heure, les voyageurs se succédèrent dans les fauteuils voisins, jetant un regard curieux sur la jeune femme en pleurs avant de détourner la tête.

Au bout d'un moment, le flot de larmes devint intermittent, cédant la place à un douloureux sentiment d'abandon.

Pâle, les joues striées de mascara, elle avait l'air d'un clown triste.

... Il attendit encore dix minutes, puis décida de mettre fin à sa torture.

— Alex ? dit-il doucement.

Mais la tête penchée sursauta comme sous l'effet d'une bombe et la jeune femme poussa un cri effrayé. Comme ses pleurs recommençaient de plus belle, elle ferma les yeux et se couvrit le visage de ses mains.

Ce n'était guère encourageant, mais le vieil homme assis dans le fauteuil voisin crut de son devoir de céder sa place à Andros. Le jeune homme entoura alors les épaules d'Alex. Son geste hésitant eut pourtant un effet immédiat : elle ne chercha pas à savoir pourquoi il se trouvait là. Elle enfouit seulement la tête contre sa poitrine et, quand ses deux bras se refermèrent autour d'elle, elle se pressa contre lui, comme un petit animal perdu, cherchant un refuge contre la peur.

Et il le lui donna, de toute sa force et sa chaleur, jusqu'à ce que ses sanglots se soient apaisés et qu'elle fût capable d'affronter la réalité à nouveau.

Andros alluma alors deux cigarettes et lui en tendit une. La tête rejetée en arrière, appuyée au dossier de son fauteuil, Alex inhala profondément. Elle sentait de façon presque tangible son regard scruter ses traits ravagés. Elle attendit ; mais il semblait avoir perdu sa langue.

— Je dois avoir une tête à faire peur, marmonna-t-elle enfin, par pure nervosité.

Il répondit d'un rire grave, avec une légère pointe amusée.

— Est-ce donc si terrible ? insista-t-elle.

Andros fit signe que non.

— Vous n'avez pas l'habitude d'exprimer des inquiétudes aussi... féminines. Vous êtes parfaite.

Alex lui adressa un regard oblique.

— Vraiment ?

— Non, avoua-t-il avec un petit sourire.

Alex essaya de le lui rendre, mais il s'effaça vite.

— C'est à cause de Nicky, n'est-ce pas ? interrogea Andros.

Elle hocha la tête. Le courage lui manquait pour dire qu'il avait une grosse part de responsabilité dans ses larmes. Baissant les yeux, elle voulut pourtant corriger au moins une idée fausse.

— Vous avez cru que je l'avais abandonné dans un orphelinat. Mais c'est faux. J'aime Nicky comme s'il était mon propre enfant...

— Je sais, coupa-t-il doucement.

— ... J'étais sans travail, sans logement, poursuivit-elle, alors ils me l'ont pris. Mais...

Cette fois, Alex s'interrompit d'elle-même, tandis que l'écho de ce qu'elle venait de dire résonnait enfin à son oreille... « Comme s'il était mon propre enfant. »

Elle leva les yeux et plongea son regard dans le regard noir d'Andros.

Il savait !

Mentalement, elle mit bout à bout des bribes de conversations, des lambeaux de souvenirs qui, réunis, lui montraient à quel point elle avait été aveugle...

Depuis quand ?

— Depuis quand ? demanda-t-elle à voix haute.

Andros comprit tout de suite.

— J'ai reçu les résultats d'une enquête sur vous et votre sœur trois semaines après votre arrivée en Grèce.

— Avant que j'aie essayé de vous parler ?

— Oui...

Comme la jeune femme était imprévisible ! Son calme l'inquiétait. En réalité, Alex replaçait les événements passés selon qu'ils s'étaient produits avant ou après leur promenade nocturne sur la plage.

Pourquoi n'avait-il rien dit, alors que la garde de Nicky lui était assurée ? Pourquoi... sinon pour la torturer ?

— Vous ne dites rien ?

Elle se leva, tremblante de rage et de chagrin.

— Vous êtes un sale type ! déclara-t-elle avant de s'éloigner.

— Alex ! cria-t-il incrédule. Vous avez l'audace d'être furieuse contre moi !

L'ayant rattrapée, il lui barra le chemin et l'obligea à lui faire face.

— Nous avons joué le même jeu, en mentant par omission. Mais moi, je vous ai pardonné.

L'espace de quelques secondes, Alex le fixa sans comprendre.

— Vous... m'avez pardonné ! répliqua-t-elle en laissant tomber son sac. Depuis que vous avez découvert votre erreur vous n'avez cessé de me la faire payer !

— C'est bon, coupa-t-il en la secouant doucement. Je vous avais jugée trop vite et vous aviez toutes les raisons de mentir. Peut-être ai-je trop longtemps gardé le silence. Mais ne concluez pas si vite !

— Allons donc ! s'exclama Alex oubliant où ils se trouvaient. Si j'avais succombé à votre charme... Vous êtes tellement sûr de vous, froid, calculateur ! Si je m'étais donnée à vous, vous auriez trouvé là de quoi nourrir votre imagination perverse !

— *Mon* imagination perverse ! s'écria-t-il en la soulevant du sol. Comparée à la vôtre, Alex Saunders...

— Cessez de m'accuser ! Parce que j'ai refusé de jouer à votre petit jeu...

— Ah, vous n'avez pas joué !

— Non, je...

— Eh bien, moi, je me souviens d'une fille sur une plage argentée par la lune, dont les gémissements de plaisir ont failli me faire perdre la tête. Mais elle s'est fatiguée de *son* petit jeu !

— Je ne...

— Ou encore d'une scène sur un sentier de montagne

où, à force de tourner autour de moi, elle a réussi à me faire croire...

Une gifle vint mettre un terme à son discours. De la part d'Alex c'était un geste désespéré, son dernier espoir de le réduire au silence, de l'empêcher de ridiculiser ses émotions ; c'était aussi, peut-être, une façon de fermer la boucle, de revenir au point de départ, à cette première rencontre dans le parc...

Mais cette fois, la rage qui contractait la mâchoire d'Andros semblait incontrôlable. Cette fois... elle ferma les yeux en une prière silencieuse, et attendit le coup de tonnerre.

Soudain, une voix envahit leur cercle d'hostilité. C'était presque une intervention divine, car elle épargna à Alex la gifle qu'il avait fermement l'intention de lui rendre. Tous deux s'immobilisèrent, l'oreille tendue vers le message que délivraient les haut-parleurs.

— Monsieur Andros Kontos ou Miss Alex Saunders sont priés de se rendre de toute urgence au bureau d'accueil.

— Nicky ! crièrent-ils en chœur, avant de s'élancer vers l'autre bout du hall.

— Que se passe-t-il ? supplia Alex.

Son esprit embrumé refusait de donner un sens à l'échange hâtif d'Andros avec le steward qui les conduisait à l'intérieur d'un bureau puis vers le téléphone. Il dit quelques mots rapides, puis plus lents, répétant les mêmes instructions à plusieurs reprises.

— En grec, Mario ! ordonna Andros avant de passer le combiné à Alex.

— C'est Mario. Il est arrivé quelque chose à Nicky, mais je ne comprends pas quoi.

Au bout du fil, le jeune homme était la proie d'une telle agitation qu'il parlait un italien rapide qu'Alex avait le plus grand mal à interpréter. Elle entendit clairement « garçon » puis « très malade » et commença alors à partager la panique de Mario.

Livide, elle vacilla, retenue par Andros qui lui entoura la taille.

— Alex ! Qu'y a-t-il ?

— Je... je ne sais pas... murmura-t-elle.

Elle lutta pour se ressaisir. Mettant un terme aux divagations de Mario, elle reprit les rênes de la conversation. Puis elle répéta pour Andros :

— Nicky a eu une crise de foie à l'école... Mario est allé le chercher. Il a préféré le ramener à la villa plutôt que sur l'île, pour appeler le médecin... Nicky n'allait pas trop mal jusqu'à ce que Mario lui dise...

Alex n'acheva pas, mais Andros le fit à sa place.

— ... que vous étiez partie.

Après avoir prié son interlocuteur de patienter, elle révéla la suite.

— Il a eu une crise d'asthme. Mario n'a pas trouvé son inhalateur sur lui.

— A-t-il pu joindre le docteur ?

Alex hocha la tête.

— Demandez-lui de dire à Nicky que vous rentrez tout de suite.

— Mais...

— Dites-le-lui ! ordonna Andros.

Quand elle se fut exécutée, il lui saisit le poignet, l'entraîna avec force jusqu'au parking et la réinstalla dans la Mercedes.

Elle ne protesta pas. Pas même pour observer qu'ils avaient oublié son sac. Elle ne prononça pas une parole tout au long du trajet. Andros, de son côté, avait pour seul souci de regagner la villa au plus vite. Accrochée à son siège, la jeune femme imaginait le pire, au cas où on ne parviendrait pas à calmer la crise d'asthme de Nicky.

Une fois la voiture garée entre la vieille Skoda de Mario et la BMW du médecin, ils se précipitèrent au chevet de Nicky. Malgré sa douloureuse expérience de la maladie, Alex eut un choc devant le spectacle qu'il offrait, inconscient, le masque à oxygène appliqué sur la bouche.

Andros se jeta à la tête du lit. Mais le médecin s'adressa à Alex, laissant à Mario le soin de traduire : le danger était passé, il avait administré à l'enfant un léger sédatif et celui-ci n'aurait bientôt plus besoin d'oxygène, mais seulement de repos après l'épisode qui l'avait obligé à quitter l'école.

Andros ne lâcha pas la main de Nicky, même après que le médecin ait ôté le masque et vérifié le pouls du malade avec un hochement de tête satisfait.

Comme il se préparait à partir, Mario continua à traduire pour Alex, expliquant que « le père » de l'enfant ne devait plus s'alarmer, qu'il repasserait demain matin, afin d'éviter toute inquiétude. En revanche « sa mère » paraissait épuisée et devait prendre du repos. Alex eut un sourire las et secoua la tête quand Mario demanda s'il devait expliquer la situation au médecin. Cela n'avait vraiment plus d'importance, puisque Nicky était sauvé.

Elle regagna la chambre : Andros n'avait pas bougé. Plus que jamais, son profil tendu évoquait celui d'un dieu grec. Mais elle savait que sous cette apparence de marbre, une foule d'émotions palpitaient et que s'il ne lui offrait que son désir, il éprouvait un amour violent et protecteur pour Nicky. Elle en était jalouse, comme s'il l'avait écartée, oubliée...

Finalement, embarrassé, Mario s'excusa et sortit sous le prétexte qu'il lui fallait téléphoner à Lucia.

— Andros...

La jeune femme s'approcha.

— Andros, il va beaucoup mieux maintenant.

Il leva enfin la tête et elle lui répéta les paroles rassurantes du médecin. Pendant plusieurs longues secondes, il plongea son regard noir et intense dans le sien, puis il se leva. Elle crut qu'il allait la prendre dans ses bras, mais non... rien n'avait changé.

— Ne recommencez jamais Alex, déclara-t-il calmement, mais avec une détermination glacée.

De quoi parlait-il ? Alex écarquilla les yeux : se pouvait-il qu'il lui demandât de ne jamais partir ? Elle n'eut pas le temps de l'interroger, car il se dirigea vers la porte comme si l'atmosphère était brusquement devenue irrespirable.

Confuse, Alex se laissa tomber sur le fauteuil au chevet de Nicky. Déjà, ses joues retrouvaient un peu de couleurs, il respirait plus régulièrement. Elle prit sa main, encore tiède du contact de celle d'Andros.

Le tourbillon passé, la panique céda alors la place à l'émotion. Elle se mit à pleurer doucement, puis s'endormit, vaincue par l'épuisement. Elle ne s'éveilla même pas quand on l'emmena.

Elle n'émergea de son profond sommeil qu'un court instant, au son d'une voix fluette, celle de Nicky, répondant à une autre, plus grave.

Quand elle ouvrit enfin les yeux, elle se retrouva dans sa chambre. Le soir tombait, et Nicky dormait dans les bras d'Andros assis sur un fauteuil, près de son lit. Une vague d'attendrissement la submergea, mais, très vite, toute la complexité de la situation lui revint en mémoire.

— Est-il...

— Il va bien, assura Andros. Il s'est réveillé tout à l'heure et a absolument voulu vérifier de ses propres yeux que vous étiez rentrée.

Comment était-elle arrivée jusqu'ici ? L'évidence s'imposait...

— Vous n'auriez pas dû me laisser dormir, protesta-t-elle, irritée. Je lui aurais expliqué...

— Soyez sans crainte, je l'ai déjà fait.

Là-dessus, sans lui donner le temps de demander une précision, il se leva.

— Je vais le coucher. Il dormira sans doute jusqu'à demain matin. Prenez une douche, je vais préparer quelque chose à manger.

Comme il était calme ! Sa détermination troublait d'autant plus Alex qu'elle se trouvait dans le plus total désarroi.

Après une toilette revigorante, prête à remonter sur le ring si besoin était, elle regretta de ne pas avoir de vêtements propres. Elle dut donc se contenter d'une chemise d'Andros et du slip découvert l'autre fois dans un tiroir.

Elle devait offrir un spectacle amusant, dans ce vêtement trop grand pour elle, car Andros marqua sa surprise à son arrivée dans le salon. Il dressait la table devant la fenêtre.

— J'ai dû emprunter une de vos chemises, expliqua-t-elle. Nous avons laissé mon sac à l'aéroport.

— Soyez sans crainte, nous irons acheter des vêtements demain.

— Ce serait plus simple de rechercher mes bagages !

Il lui adressa un sourire.

— Mangeons, pour l'instant.

En s'attaquant à son steack, Alex songea qu'ils partageaient le même avis au moins sur un point : toute discussion engageant l'avenir ne pouvait aboutir qu'à une querelle. D'un accord tacite, ils évitèrent tout sujet de controverse. Et en effet, lorsque Alex prépara le café, Andros lui fit bien comprendre qu'il n'avait aucune envie de ranimer le conflit.

— D'abord, je tiens à vous dire que je ne cherchais pas à me venger en gardant le silence. Rétrospectivement, c'était peut-être absurde de ma part, mais avec vous on a tendance à agir impulsivement.

Pour ne laisser aucun doute sur le sens de ses paroles, il ajouta :

— A l'époque, j'avais besoin d'un avantage.

— Très bien, acquiesça Alex... Je regrette d'avoir menti, mais vous étiez...

— Impossible ? J'admets que je n'ai pas l'habitude qu'on me résiste. Vous représentiez... une nouveauté, pour moi.

Alex ne demanda pas de précision. Elle devinait qu'il voulait l'entraîner dans une direction qui ne lui plairait pas. En effet, il reprit, plus sérieux.

— Je regrette également mon injustice à votre égard et à l'égard de votre sœur. Mais j'ai très vite compris que vous aimiez vraiment Nicky. Je conçois d'autant moins que vous puissiez accepter de le laisser.

Qu'il le veuille ou non, il lui reprochait d'abandonner l'enfant.

— Je ne peux pas lui offrir la même chose que vous, se défendit-elle. Nicky avait admis l'idée que je partirais un jour. Et il désire rester en Grèce.

— Sans vous ? Je ne le crois pas, s'obstina Andros. Vous ne pouvez pas non plus continuer à le croire, après ce qui est arrivé aujourd'hui. Vous l'aviez préparé, mais il s'était imaginé que vous ne partiriez jamais.

Il acheva sur un ton accusateur :

— Vous donniez l'impression d'être heureuse.

A la fin de l'été, peut-être, ou au cours de ces longues journées passées à visiter une île après l'autre... jusqu'à ce qu'elle découvre que c'était la présence d'Andros qui rendait tout si précieux.

— C'est à cause de Nicky que vous êtes revenu à l'aéroport ?

Le jeune homme haussa les épaules. Ecrasant sa cigarette, il lui prit les mains.

— Ecoutez, Alex : peu importe que vous ne soyez

pas sa mère. Ce garçon vous adore, vous êtes tout pour lui. Vous ne pouvez nous quitter ainsi.

Alex s'efforça d'être convaincante.

— Je ne peux pas rester.

— Mais vous souhaitez être *avec Nicky.* Restez, Alex, pour un temps au moins. Choisissez vous-même vos termes. Il attendra... A sa place, je le ferais.

La jeune femme faillit se trahir en demandant « qui? » mais se rappela à temps son mensonge. Le moment était peut-être venu de l'avouer.

— Il n'y a pas...

— Vous pouvez rester à Athènes si vous préférez. Je ne parle pas de l'appartement. J'achèterai une maison.

— Vous feriez cela?

— Je suis riche. Où vous voudrez, Alex. Et si vous désirez travailler ou reprendre vos études... je m'arrangerai. Je ferais n'importe quoi! Je peux vous donner tellement plus que ce jeune homme en Angleterre, tellement plus!

Si Alex hésitait, c'était à cause de l'irrésistible tentation de faire exactement ce qu'elle désirait : rester auprès de Nicky *et* d'Andros. Mais ses derniers mots lui rappelaient pourquoi elle avait inventé ce mensonge : s'il plaidait pour Nicky, elle n'était pas naïve au point d'ignorer que tout ne se terminerait pas comme elle le prévoyait. Andros l'achéterait jusqu'à ce qu'ils puissent tous les deux se passer d'elle, et elle, pauvre folle, était prête à se donner corps et âme, pour rien!

— Non, je ne peux pas! cria-t-elle en luttant pour libérer ses mains. Je ne veux plus en entendre parler!

— Alex! Où allez-vous?

— Dans ma chambre!

Elle avait franchi la porte avant qu'il pût la convaincre de revenir sur sa décision. Mais à peine avait-elle allumé la lumière qu'elle poussa un cri.

— Ne réveillez pas l'enfant ! siffla l'homme qui l'avait suivie sans bruit.

— Alors sortez d'ici !

— Quand nous aurons fini.

— C'est non. Je n'ai plus rien à ajouter.

— Essayons de voir les choses de façon raisonnable.

— Vraiment ? Votre idée de ce qui est raisonnable consiste à dicter votre volonté et à attendre qu'on s'y plie.

— Je vous ai donné le choix, répliqua-t-il.

Il s'approcha. Ses yeux s'étaient durcis. Elle chercha à l'éviter, mais il lui saisit le bras.

— Que puis-je faire de plus ?

— D'abord vous m'offrez de l'argent pour partir, maintenant vous m'en offrez pour rester ?

— Que voulez-vous dire ?

— Vous pouvez m'offrir *tellement plus* que ce jeune homme ! railla-t-elle.

— Je ne parlais pas d'argent.

— Non ?

— Pas vraiment.

— Et de quoi d'autre ?

— Allez au diable, Alex ! Assez joué ! Vous savez très bien de quoi je parle.

Avant qu'elle ait pu prévoir son geste, son souffle tiède lui balaya la joue et sa bouche se referma sur la sienne. Son cri s'étrangla dans sa gorge et mourut bientôt, cédant la place à un gémissement.

— Vous savez ce que je veux, dit-il d'une voix rauque. Et vous le voulez aussi, dites-le, Alex !

— Et si je dis non ? murmura-t-elle dans un dernier sursaut de volonté.

— Je répondrai que vous mentez, déclarą-t-il, entrecoupant chaque mot de petits baisers brûlants. Mais je vous pardonnerai, comme je l'ai fait pour chaque blessure... chaque regard hostile... chaque mensonge imbécile... en regrettant seulement d'éprouver un désir aussi passionné et si peu calculateur.

Enveloppée dans le cercle magique que ces paroles tissaient autour d'elle, Alex savait que si elle parlait, ce serait pour crier cette passion qui la submergeait tout entière. C'était son secret le plus profond. Mais quand il la repoussa loin de lui, ce fut comme si la plainte rauque d'Andros provenait de sa propre gorge.

— Andros ! supplia-t-elle, le sentant sur le point de partir.

— Nous reparlerons demain...

Incapable d'ajouter un mot, elle le regarda s'éloigner. Andros dut interpréter son silence comme un rejet car il acheva, avec une frustration évidente :

— Je ne vous dérangerai pas plus longtemps.

— Andros !

Cette fois son cri impulsif l'arrêta à l'instant, où il atteignait la porte.

— Pour l'amour du ciel, Alex, ne rendez pas les choses...

— Mais je ne...

Les mots qui s'étranglaient dans sa gorge ne laissaient pas place au doute. Elle avait perdu tout orgueil ; elle l'aimait assez pour accepter même le peu qu'il lui offrait : son désir. Si elle ne voulait pas laisser échapper sa dernière chance, il lui fallait faire un geste !

Et s'il la méprisait ? Elle en mourrait de honte...

— Que faites-vous... ?

Andros s'interrompit, contemplant, fasciné, les doigts d'Alex qui dégrafaient en tremblant les boutons de sa chemise. A la fin elle demeura debout, dans la lumière dorée, nue, excepté les bouts de dentelle qui couvraient ses hanches et sa poitrine tendue, incapable de lever les yeux vers lui.

Enveloppée dans ce regard fiévreux, elle était déchirée entre une envie désespérée de se couvrir et le désir que ces mains viennent apaiser l'incendie qui enflammait sa peau.

— Je ne peux pas...

Comment lui dire que ses doigts refusaient d'aller plus loin ? S'il hésitait davantage, tout son courage l'abandonnerait...

Il avait dû comprendre car, d'une seconde à l'autre, la tension qui s'était emparée de lui se métamorphosa en une force vibrante dont elle devint la prisonnière et qu'un désir identique au sien agitait.

— Ne jouez pas ! supplia-t-il d'une voix rauque en l'entraînant vers le lit.

Il la lâcha pour ôter ses vêtements avec une hâte fébrile. Aussitôt, elle se sentit écrasée par le doute : et s'il attendait d'elle plus qu'elle ne saurait lui donner ? Il la croyait experte... Par quoi fallait-il commencer ? Elle n'avait même pas le courage de le regarder.

Quand il la reprit dans ses bras, peau nue contre peau nue, elle écarquilla les yeux sous l'effet du choc. Sa tête sombre se pencha vers la sienne, ses doigts se refermèrent sur une poignée de ses cheveux et il prit sa bouche en un baiser étourdissant.

— Ne bouge pas, commanda-t-il doucement tandis que ses lèvres prenaient la place de ses mains sur sa poitrine gonflée.

Un spasme de volupté traversa le corps d'Alex, mais la bouche d'Andros continua son jeu érotique, effaçant peu à peu les craintes et les inhibitions de la jeune femme qui trouva d'instinct les gestes de l'amour.

Haletant, il ôta ses derniers vêtements avec une sorte d'impatience, glissant la main sous son slip en une caresse si intime qu'elle poussa un cri de surprise avant de se retrouver aussi nue et sans défense qu'un nouveau-né sous son regard dévorant.

Les mots n'avaient plus cours : ses yeux disaient d'eux-mêmes combien il la trouvait belle et désirable, ainsi offerte dans un écrin de draps sombres. Alex voulut couvrir sa nudité, mais il l'en empêcha avec un rire tendre.

Lentement, sa main remonta jusqu'à ses seins et il cueillit sur sa bouche les petits cris de plaisir que ses caresses faisaient jaillir du fond de sa gorge.

Accrochée à lui, le dos arqué pour mieux se presser contre lui, éperdue, elle se croyait immunisée contre la souffrance.

Mais non : la douleur la transperça d'un coup et, ouvrant brusquement les yeux, elle rencontra le regard stupéfait d'Andros avant d'enfouir son visage dans son épaule.

— Ma belle, ma folle Alex !

Submergée par une vague d'amour, elle oublia la douleur pour se presser à nouveau contre lui, aussitôt emportée par le lent tourbillon qui les mena à cette étourdissante apogée où il cria son nom.

Plus tard, quand il roula sur le côté et que sa respiration se fit plus calme, Alex préféra échapper à la question qui dansait dans ses yeux.

— S'il vous plaît... ne dites rien...

Il répondit à son appel angoissé en lui caressant doucement la joue.

— Laisse-moi te garder dans mes bras.

La tête nichée dans son épaule, sûre de ne pouvoir dormir près de lui, Alex se laissa pourtant engloutir dans le sommeil avec, au fond du cœur, une faible étincelle d'espoir.

A son réveil, le soleil d'automne pénétrait à flots dans la pièce. L'homme qui était maintenant son amant, la contemplait, assis au bord du lit, déjà lavé, rasé de frais et enveloppé dans un peignoir.

Les joues enflammées, Alex tira maladroitement le drap à elle.

— Ma belle, timide vierge, murmura-t-il, sans rien faire pour l'en empêcher. Pourquoi n'as-tu rien dit ? J'aurais pu te faire très mal, j'avais tellement envie de toi.

— Ce n'est rien...

Si sa passion, puis sa douceur, lui avaient donné l'illusion qu'il l'aimait un peu, il venait de la réduire à l'état de cendres.

— J'espère bien que si, dit-il gravement.

Il lui souleva le menton : malgré ses yeux soulignés de cernes imperceptibles et sa bouche plus pleine, elle avait gardé son apparence de petite fille.

— J'ai cru avoir reçu un don plus précieux que ton innocence. Suis-je trop présomptueux ?

Quelle jolie façon de demander à une femme d'avouer son amour ! Le regard d'Alex parlait sans doute pour elle car, oubliant sa question, elle sourit, oscillant entre la joie et le rire... Mais Andros voulait entendre sa réponse.

— Si je ne t'aimais pas, Alex Saunders, gronda-t-il, je te battrais pour t'obliger à parler. Alors, oui ou non ?

— Non ! Non, tu ne t'es pas trompé ! cria-t-elle.

Avait-elle bien entendu ? Il lui avait dit qu'il l'aimait !

— Je te battrai peut-être quand même... quand nous serons mariés.

— Mariés ?

— Le plus vite possible, promit-il. Au cas où...

Mais Alex ne vit pas le rire qui jouait dans son regard.

— Andros, nous ne pouvons pas... ce n'est pas une raison pour nous marier...

Il fronça les sourcils.

— Le pardon ou la confiance ne sont pas tes points forts ! Donne-moi ta main.

Il la prit sans attendre.

— Maintenant dis oui.

— Oui ? A quoi ?

Le jeune homme glissa alors à son doigt la bague qu'il venait d'extirper de sa poche.

— Et si tu crois qu'elle s'est trouvée là par hasard, c'est que tu es folle à lier.

Ils devaient avoir perdu la tête, tous les deux ! se dit-elle en admirant le saphir entouré de diamants dont la lumière évoquait les profondeurs de la mer.

— Si elle ne te plaît pas, je la ferai changer. Je l'avais rappportée d'Italie, expliqua Andros en lui pressant la main. Mais tu ne m'as pas écouté. Pour ne pas prolonger la torture, je t'ai conduite à l'aéroport, et puis, je n'ai pu m'empêcher de revenir. Etait-il important... ce jeune homme ?

Atterrée par le malentendu qui avait failli les séparer à jamais, elle secoua la tête.

— Je l'ai inventé de toutes pièces...

Devant son expression à la fois furieuse et soulagée, elle ajouta :

— Je croyais que tu voulais me demander de devenir ta maîtresse. Je m'y refusais, mais... maintenant... je suis... tu n'es pas obligé...

— Je le veux, coupa-t-il. Je t'aime, Alex. Je n'accepterai aucun compromis. D'ailleurs, tu as déjà dit oui.

Quand ? Alex avait l'impression qu'elle allait se retrouver mariée qu'elle le veuille ou non.

— Mais notre union sera le plus grand compromis ! Même si un miracle me métamorphosait en une parfaite épouse de nabab grec, je ne crois pas que le rôle me plairait !

— Je ne te demande pas de le jouer. Quand j'étais jeune homme, mon père m'a confié un jour qu'il existait deux sortes de femmes : celles avec lesquelles on s'amuse et celles que ma mère et lui me présentaient régulièrement comme des épouses parfaites. Eh bien, si je l'ai écouté sur un certain point, je n'ai jamais rencontré une de ces jolies grecques dont je n'aurais pu me passer. Et puis, est arrivée une jeune Anglaise, qui n'entre dans aucune catégorie : elle est drôle et irritante, intelligente et folle, timide et impudente, totalement contradictoire. Mais je l'aime.

— Et je t'aime, déclara Alex. Je n'ai jamais joué. Mais ne crains-tu pas d'agir sous l'impulsion du moment ?

— Je t'aime, tu m'aimes, cela suffira.

— Pour combien de temps ? interrogea-t-elle, souhaitant désespérément le croire, mais trop habituée aux joies éphémères.

— Je ne te propose pas un de ces mariages modernes avec contrat temporaire ! Tu ferais bien de t'enfoncer cela dans la tête !

Sa déclaration ressemblait fort à une condamnation à perpétuité. Mais Alex esquissa un sourire : c'était bien ainsi qu'elle imaginait leur union !

— Vite, n'est-ce pas ? la pressa Andros.

Avant d'avoir pu répondre, Alex aperçut la petite silhouette qui s'était dessinée sur le seuil. Sans la moindre gêne, Andros lui fit signe d'entrer. Nicky ne semblait rien trouver d'incongru dans la situation ; il sauta dans les bras de son oncle.

— Elle rentre à la maison ?

— Demande-le-lui !

— Tu rentres à la maison, Lex ?

La jeune femme regarda successivement l'homme et l'enfant : voyant la même supplique muette dans leurs yeux, elle se sentit la victime d'une conspiration.

Quelques jours plus tard, quand ils regagnèrent l'île, Alex portait l'autre bague d'Andros. Le cœur gonflé d'allégresse, elle rentrait à la maison.

Harlequin
ÉDITION SPÉCIALE

Achevé d'imprimer en mai 1985
sur les presses de l'Imprimerie Bussière
à Saint-Amand (Cher)

— N° d'imprimeur : 587. —
— N° d'éditeur : 657. —
Dépôt légal : juillet 1985.

Imprimé en France